한국가곡200곡선

Best 200 Korean Lyric Songs

(하)

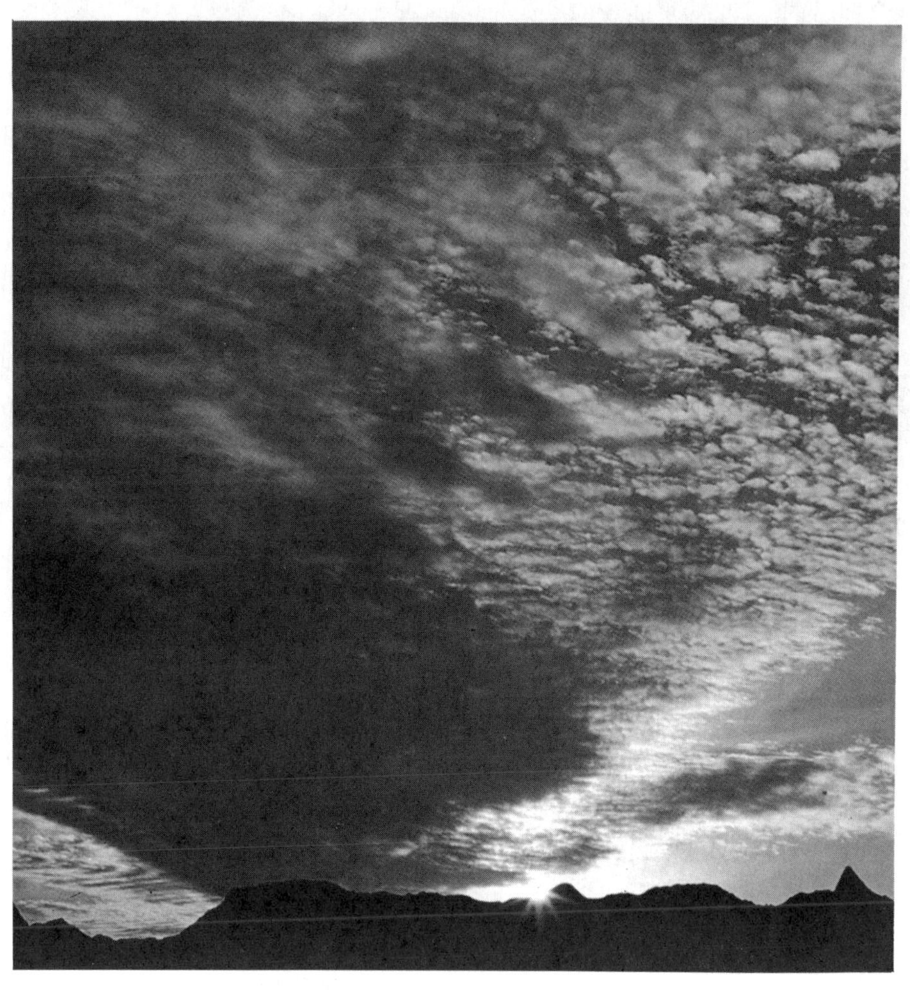

세광음악출판사

머 리 말

개정판에 즈음하여

우리 예술 가곡은 이제 국민 누구에게나 그 생활 속에 깊숙이 파고 들어가 자리를 굳히면서 개개인의 마음과 생활을 더욱 고상하고 윤택하게 만들어 주고 있습니다. 이것은 가곡이 지닌 본래의 기능 즉, 정서 순화로 얻어진 당연한 결과라고 하겠습니다.

일제의 억압과 6 · 25의 쓰라린 아픔 등으로 인하여 음울할 수밖에 없었던 지난날의 어두운 우리 민족 정서는 오늘날 이룩한 경제적 풍요로움 속에서 여유와 활기를 갖게 되었습니다.

그러므로 우리 가곡 또한 문자 그대로 예술의 긴 생명력을 발하여 창조와 번영, 안정의 기초가 되는 정서의 함양을 도모하기 위한 도약 단계에 서 있다고 하겠습니다. 이런 관점에서 볼 때, 가곡이 안고 있는 사명은 매우 크다고 하겠습니다.

이에 신곡을 대폭 엄선 채택하여 「개정 한국 가곡 200곡선」을 펴내는 뜻도, 예술 가곡은 끊임없이 창조되고 발전되어야 한다는 가곡의 사명을 자각한 데 있는 것입니다.

세광 음악 출판사 편집국

차 례

(가나다 순)

ㄱ

ㄴ

ㄷ

가 고 파

이 은상 작사
김 동진 작곡

Moderato
p
mp
p
내 고 향 남 쪽 바 다 — 그 파 란 물 — 눈 에 보 이
네 꿈엔 들 — 잊 으 리 요 — — 그 잔 잔

한 — 고—향바 다 지금도 그물새들날으 리 가고
파 라가고 파 어릴제 같이놀 던 그동
mf
rit.
a tempo
무 들그리워 라 어디 간 들잊—으리요 — 그뛰
rit.
dolce
a tempo
rit.
놀 던고향 동—무 — 오늘 은 다무얼
rit.

a tempo
하—는고 — 보고 파 라보—고 파
a tempo
rit.
a tempo
Allegro con moto
그 물 새 그동무 들 고향 에 다있는
molto cresc.
ff
데 나는 왜 어이타 가 떠나 살 게 되었는
molto cresc.
ff

고 온갖 것 다뿌리치고 돌아 갈 까돌—아
가 가서 한데얼려 옛날같이
rit.
살고—지 고 내— 마 음색 동
a tempo
옷입혀— 웃고 웃 고지— 내고저— 그날 그 —눈물
rit.

후 편

모 래 판 에 서
가 재 거 이 랑
달 음 질 치 고
물 들 면
뱃 장 에 누 워
별 ― 헤 ― 다
잠 ― 들 었 지
세 상 일
모 르 던 날 이
rit.
mf
Andante
그 리 워 라 그 리 워
여 기
물 어 보 고
저 기
rit.
mf

가 알아보나 내몫 옛 즐거움 은 아 무 데 도 없는것
f
을 두 고 온 내보금자 리에 가 안 기 자 가ㅡ안
f
겨 처 녀 들 어미되고 동자들 아비된사이 인 생
ff
ff
의 가는길이 나ㅡ 뉘어 이렇구나 잃어진내
p meno mosso
p meno mosso

기 쁨 의 길 이
아 - - - - - - - - -
f
아 까 와 라 아 까 와 두 고 온 내 보 금 자
f
리 에 가 안 기 자 가 — 안 겨 처 녀 들 어 미 되
cresc.
ff
고 동 — 자 들 아 비 된 사 이 인 생 의 가 는 길 이
cresc.
ff

p meno mosso
나뉘어이렇구나
인 ― 생 의 가 는 길 이 나 ― 뉘 어
p meno mosso
p
pp
이 ― 렇 구 나
잃 어 진 내 기 쁨 의 길 이
아 까
p
rit.
와 라 아 까 와
pp rit.
p

mf **Allegretto**

일 하 여 시름 없 — 고 단 잠 들 — 어

mf

죄 없 는 몸 이 그 바 다 물 소 리 — 를

밤 — 낮 — 에 듣 는 구 — 나 벗 들 아 너 희 는 복 된 자

Andante

다 부 러 워 라 부 러 워 옛 동 무 노 젓 는

a tempo
rit.
p
배에 얻어 올 라 치를잡고 한 — 바 다물을
dolce
mf
rit.
p a tempo
rit.
따—라 — 나명 들 명살까이—나 — 맞잡 고 —그물
rit.
f a tempo
던-지며 — 노래하 자노-래 해 거 기
p
a tempo f
아침은오고 또거 기 석양은져도 찬 열

음 — 센바람 은 — 들지 못 하는그나라 로 돌 —
아 가알 — 몸으로 — 살 까 나 살 까
나 돌 아 가 — 알 몸 으 로 깨 끗
이 도 깨 끗 이 —

갈대밭에서

고 진숙 작사
김 연준 작곡

Moderato
소 슬하 게바－람부 는
가－을밤 － 갈 대잎 에이－－슬 이 맺－히네 －
강 물처 럼흐－르는 － 저－달빛 － 달 빛넘쳐흐르

– 는가 – 을밤
너는이 – – 밤 에홀 – 로 외 롭게 –
무 슨생 – 각에
– 잠기 었나
이밤 – 에어 이
잠 – 못이 루나
오 랜너 의소
– 원말해다오

밤마 – 다그 리 는 사랑 – 이여 외 로운 맘나–그네 여
라 – – 강 물처 럼달–빛호 르 는–이밤 –
저 달빛 에너 의몸–씻고 눈–물흘 리 나 –오 랜–
소–원무 엇이었 – 나 – –
pp
p
ppp

강강술래

이 동주 작사
백 병동 작곡

mf
— 가 아 응 —
가 아 응 수 —월래에 목을빼 면— 설 움이
솟 고 백 장 미 밭 에
mp
mp
f
공 작 이 취했다 뛰 자 —

뛰 자 뛰 어 나 보 자 — — —
mf
강 강 — 술 — — 래
mf
p
뉘 — 누 리 에 — — —
p

댕 — 기 가 감 긴 다 — 열 두 발 상 — 모 가
마 — 구 돈 — 다
달 빛 이 배 — 이 면 술 — 보 다 독 — 한 것
f
기 폭 이 찢 어 진 다 —
f

mp
ff
mf
pp
fff
— 갈 대 가 쓰 러 진 다 — —
강 —강 술 래 — — 강 —강
술 래 — — — —

강 건너간 노래

이 육사 작사
나 운영 작곡

mf
ㅡ 건 너 갔 소 강 건 너 하 늘 끝
mf
에 사 막 도 닿 은 곳 내
노 래 는 제 비 같 이 날 ㅡ 아 서 갔
5
3
f
소 사 막 은 끝 없 ㅡ 이 푸 른
f

하 늘이덮 여 눈물먹 은 별—들—
rit.
ff
이 조 상 —오는 밤 —
rit.
ff
a tempo
mf
p
ppp agitato
— —조—상 오는밤 — 밤 은
p a tempo
pp
agitato
ppp
a tempo
pp
p
옛일을 무지개보다 곱게 짜내나니 한가
a tempo

mp
mf
락 여기두 고 또한가 락 어디멘 가 내
f rit.
mf
가 부르던 노 래는 그밤 — 에 강 —
mp
a tempo
건 — — 너 갔 소 — —
pp
—
accel.
mp
mf
a tempo

겨울 바다

임 종찬 작시
강 기성 작곡

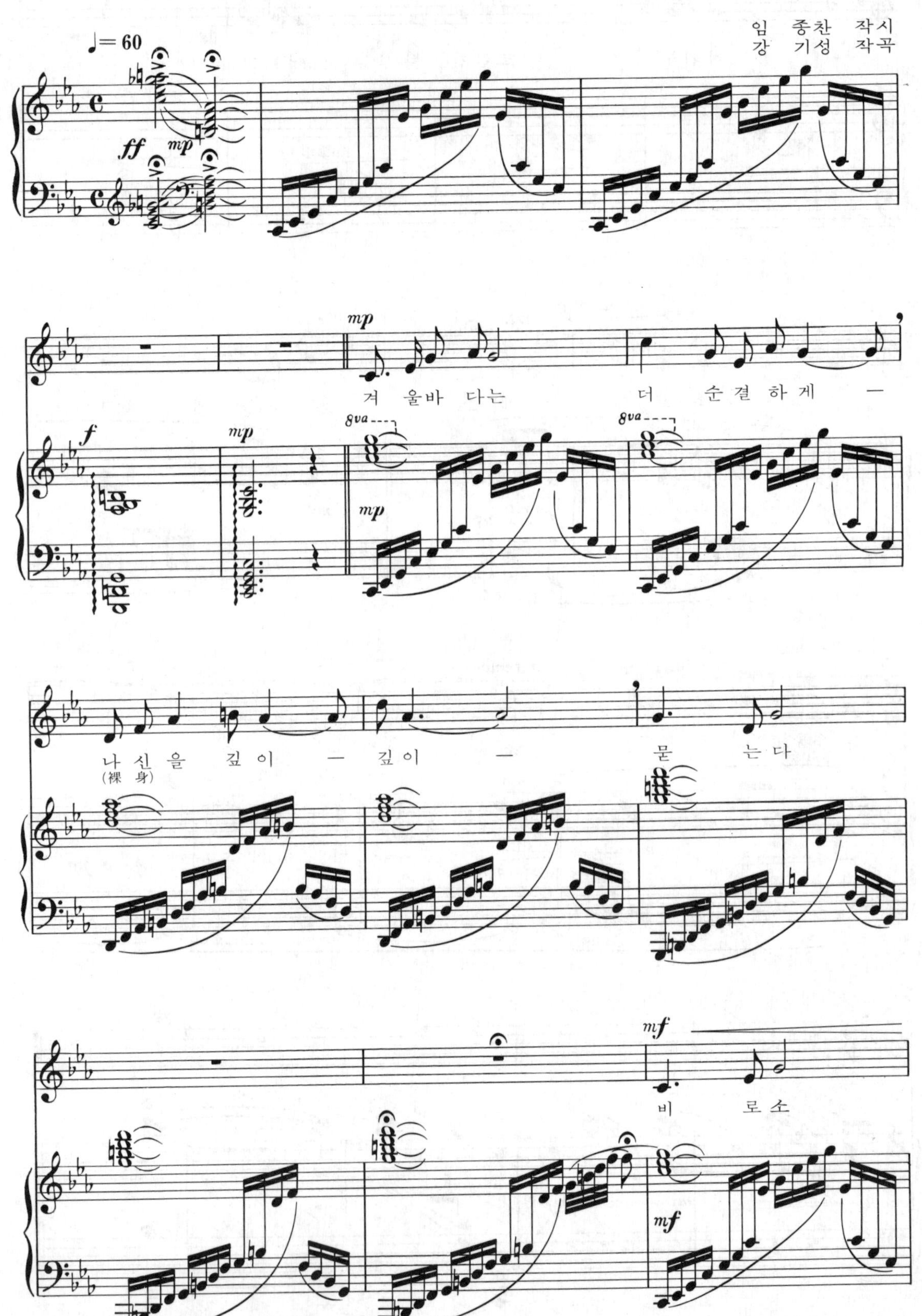
♩=60
겨 울바 다는 더 순결하게 —
나 신을 깊이 — 깊이 — 묻 는다
(裸 身)
비 로소

지구의끝이 —
엷 은잠 에파묻히 고
뿔뿔이헤어져살던 고 요가 왼 성의
눈 을 뜬 다
8
ff
mp
f
에 술의

긴 칼 날 을 겨 울 바 다 는

끝없이삼—킨다 이 런 날 빈 손 들 고 오 는

웃 음들 황량한 평 화 의 암 초 들 이 깊 이

가 라 앉 는 다

고 대(苦待)

김 노현 작사
김 노현 작곡

Andante
rit.
a tempo
아 름 다 운 희망을안
고 너와함 께 거 닐던—길을 오 늘다시찾 으
니 바람만 지 나 가 누 나 — 황혼에언 덕

ㅡ 위 에 오 색 구 름 꿈 꾸 던 시 절 황 홀
한 네 가 슴 오 늘 더 욱 그 리 워 지 ㅡ 누 나
Andantino
진 주 같 은 네 맘 어 둠 속 에 서

mp
빛 이되리 라 맹세하던너 푸 른저언 덕
f
아름 답던시 절 서로 굳 게손잡고 맹세한
mf
너 는지 금어디 작 은빛되 었 나 오 라어 둠을헤 매는
accel
rit.
이가슴속 에
rit.

Andante

내 맘에그리는그대의사 랑

rit. *a tempo*

f

이 찬 란 한 밝 은태양이되

어 동 녘하늘위에 빛 이떠오누나 나를반겨웃

는 듯

rit.

고 독

황 인호 작시
윤 용하 작곡

mf

mf

밤 은고 이 흐르는데

mf

어 데선 가 닭 소리 산 뫼에 선 달이뜨고

먼 산숡 의부엉소리 외롭다내맘의등 불

f

f

꽃 같 이 피 어 졌 나 니 내 사 랑 불 되 어 타 고
rit.
mf
님 생 각 아 내마음에 차 라 사 랑 아 내 사 랑 아
rit.
mf
너 홀 로 날 개 돋 아 천 리 만 리
rit.
날 지 라 도 사 랑 아 내 사 –랑 아 –
rit.

금 빛 오 리 님 — 생 각 — 이 몸 깊 이
아 롱 져 이 끼 핀 돌 되 라
밤 은 고 이 흐 르 는 데 어 데 선 가 닭 소 리
산 매 에 선 달 이 뜨 고 먼 산 숡 에 부 엉 소 리

외 롭 다 내 맘 의 등 불 꽃 같 이 피 어 졌 나 니

rit.

내 사 랑 불 되 어 타 고 님 생 각 아 내마음에 차 라

rit.

고향 생각

현 제명 작사
현 제명 작곡
Andantino
1.해 는져ㅡ서
2.고 향하ㅡ늘
어두운데 찾 아오 는 사람없어 밝 은달ㅡ만 쳐다보니
쳐다보니 별 떨기 만 반짝거려 마 음없ㅡ는 별을보고
외 롭기한이없 다 ㅡ 내 동 무 어디두고 이 홀 로앉 아
말 전해무엇하 랴 ㅡ 저 달 도 서쪽산을 다 넘 어가 건
서 ㅡ 이 일저일을 생각하니 눈물만흐ㅡ른 다 ㅡ
만 ㅡ 단 잠못이뤄 애를쓰니 이밤을어ㅡ이 해 ㅡ

고운 봄길 위에

김 영랑 작시
김 명표 작곡
Andantino 매우 서정적으로
mp dolce
mp
돌 담 에 속 삭 이 — 는 속 — 삭 이 는 — 햇 — 발 같 — 이
새 악 시 볼 에 떠 오 는 떠 — 오 르 는 — 부 끄 럼 같 — 이
mp
풀 아 래 웃 음 짓 — 는 — 웃 음 짓 는 샘 — 물 같 —
시 — 의 가 슴 살 포 시 — 살 — 포 시 젖 는 물 결 같
mf
이 내 마 음 고 요 히 고 운 — 봄 길 위
이 보 드 레 한 에 머 랄 드 얇 게 — 흐 — 르
mf

mp espr.
에 오—늘하 루 하 늘을 우러르고 싶
는 오—늘하 루 하 늘을 바라보고 싶
다 — 오—늘하루하늘 을 —하—늘
다 — 오—늘하루하늘 을 —하—늘
을 우 러 르 고 싶 다
을 바 라 보 고 싶 다
—
—
rit.

그대 내마음의 창가에 서서

박 화목 작사
나 인용 작곡
Moderato
그 대 — 내 마 음 의 창 가 에 서 서 — 황
혼 의 그 늘 같 은 고 요 한 — 미 소 를 머 금 고
날 바 라 보 고 있 네 — 어 서 돌 아 오 라 는 —

어서돌아오 라 는 — 정 열 의 손 짓 에 도 — 나의
안 타 까운표 시 에 도 — 그 대 의 창 에 서 미 소 할 뿐 이
네 —
이제 구 월의밤하늘의 흰 달이돌아오고

legato
유 달 리 반짝이며 선회하는 인공 위 성 과 함께 — — 기
러 기 들이 날아 올 테 지 만 — —
그 대 — 는
흘 러 간 세 월과 같 은 것 — — 자 꾸 만 식어가 는

accel.
싸 늘한 — — 그 대의입 김을 — — 내
a tempo
마지막사 랑을 노 래하 여 — 덥 힐 수 있 으
랴 — 아 그 러나 가 을은 가고 — 황 혼 은내리고
agitato
— — 고 독한 내 — 마 음의 창 가에

그 대는서서 — — 고 요한미 소를 머 금

고 — 날 바 라 볼 — 뿐 이네 — —

그 리 움

박 목월 작사
이 수인 작곡
Moderato 곱게 서정적으로
mp
구 름가네구름 가 —네 강 을건너구름 가 —네
그 리움에날개 펴 —고 산넘어로구 름가 네

구 름 이 야 날 개 펴 ㅡ 고 산 넘 어 로 가 련ㅡ마
f
는 그 리 움 에 목 이 메 ㅡ 어
piu mosso
나 만 홀 로 돌 ㅡ 이 되 네 구 름가 네
poco rit.
구 름가 네 들 을건 너구 름가 네 ㅡ

piu mosso
rit.
그 리 움 에 날 개 펴 고 훨 훨 날 아 구 ㅡ 름 가
piu mosso
a tempo
네 구 름 이 야 가 련 마 는
8va
a tempo
p
mp
그리움에 눈 ㅡ 이 멀 어 ㅡ 나 만 홀 로
돌 이 되 네 산 위 에 서 돌 이 되 네

그 리 움

고 진숙 작사
조 두남 작곡

좀 느리게 정열적으로
mp
기 약 없 이 떠 나 가 신 그 대 를 그 리 며 —
귀 뚜 라 미 우 는 밤 에 언 덕 을 오 르 면 —
먼 산 위 에 흰 구 름 만 말 없 이
초 생 달 도 구 름 속 에 얼 굴 을
p

f
바 라 본 다 — 아 돌 아 오
가 리 운 다 — 아 돌 아 오
f
p
라 — 아 못 오 시 나
라 — 아 못 오 시 나
p
f
— 오 늘 도 해 는 서 산 에 걸 려
— 이 밤 도 나 는 그 대 를 찾 아
f
p poco rit
1. a tempo
2. a tempo
노 을 만 붉 게 타 네 —
어 둔 길 달 려 가 네 —
a tempo
p poco rit
a tempo

그 집 앞

이 은상 작사
현 제명 작곡

Andante

Andante
1.오 가며 그 집앞을 지나노라면
2.오 늘도 비내리는 가을저녁을

그 리워 나도몰래 발이머물고 오 히려 눈에띌까
외 로이 이집앞을 지나는마음 잊 으려 옛날일을

다 시걸어 도 되 오면 그—자리에 서 졌읍니 다
잊 어버리 려 불 빛에 빗—줄기를 세며갑니 다

금강에 살으리랏다

이 은상 작사
홍 난파 작곡

Moderato
1.금 강 에 살으리랏다
2.이 몸 이 쉬 - 어져서
금 — 강 에 살으리랏다 운 — 무 — 더 — 리 — 고
혼 이 정 녕 있 — 을진대 혼 이 나 마 길 이길 — 이
금 강 에 살 으 리 랏 다 홍 진 에
금 강 에 살 으 리 랏 다 생 전 에
썩 은 명 리 야 아 는 체 나 하 — 리 — 요
더 럽 힌 마 음 명 경 같 이 하 — 고 — 저

금 잔 디

김 소월 작사
한 태근 작곡

가 신 님 — — — — — — 무 덤 가 — — — — 에 —
Moderato 민요풍으로
금 — — — — 잔 — — — — — 디 —
mf
mf
봄 — 이 —
왔 네 — — 봄 빛 이 — 왔 네
f

f
버 드나무
Tempo I
끝 에 —도실 —가— 지 에 봄빛 이왔네
rit.
a tempo
봄 —날—이 —왔—네 심 심———— 산 천—에도
금 ——————잔 ————디— 에 —

rit.

심 심 산 —천—— —에—도

a tempo

금—잔 —디——에 —

a tempo

pp

기다리는 마음

김 민부 작사
장 일남 작곡

기 — — 다 려 도 임 오 지않 고 —
기 — — 다 려 도 임 오 지않 고 —

rit.

물레소 리 빨래 — 소리에 눈 물흘 — 렸 네 —
파도소 리 물새 — 소리에 눈 물흘 — 렸 네

기 도

남 승만 작사
김 중석 작곡

다 두—볼 에-흐르는눈--물--이 — 새 —벽이—
오—도 록 마 -----르지 않 게하소서 지난날한—저녁노을처럼
사 —랑—의—-옷-—자락에불----길—되 리니
나 ------ — 를 생 ------
— 각하——여 —— 줍 —소 서

꽃

김 춘수 작사
강 기성 작곡

♩=72
내 가 – 그 의 이 름 을 불 러 – 주 기 전 에
는 그 는 – 다 만 하 나 의 몸 짓 에
지 나 지 않 았 다 내 가 – 그 의 이 름 을

불 러 주 었 을
때
그 는 나 에 게 로
와 서
꽃 – 이 – 되 었
다
내 가 그 의 이 름
을
불 러 준 것 처 –
럼
나
의 이
빛 과 향 기 에 알 맞
은

누 가나의 이-름을 불-러-다 오
그 에게로 가서 나도-
그 의꽃-이 되-고- 싶 --
f
rit.
dim.
a tempo
다 우리들 은 모두-다 무엇이

accel. cresc.
되 고 싶 — 다
너 는
accel. cresc.
나에 게
나 는
너 에 게
a tempo
잊 혀 지 지 않 는
하 나 의 눈 빛 이
a tempo
f
되 고 싶 — — — 다 —
f

꿈

황 진이 작사
김 안서 역사
김 성태 작곡

p
나 — 셨— 네 — 이 뒤 엘 랑
찾 — 으— 려 — 밤 — 마 다
p
밤 — 마 다 어 긋 나 — 는 꿈
어 긋 나 는 꿈 일 양 — 이 면
mf
pp
poco rit.
— 같 이 떠 나 노 중 에
— 같 이 떠 나 노 중 에
mf
pp
poco rit.
mf
a tempo
p
서 만 나 를 지 — — 고 —
서 만 나 를 지 — — 고 —
a tempo
mf
p

꿈 길

김 소월 작사
김 영식 작곡

Moderato
8va
mp
물 — 구슬의 봄 새벽 아 — 득한 —
길 — 하 늘이 — 며 들 사 이 에
mf
넓 — 은 — 숲 — 젖 은 향 기

불 — 긋 한 잎 — 위 의 — 길 —
f
rit
실 그 물 의 바 람 비 쳐 젖 — 는 —
p
a tempo.
mp
숲 — 나 는 걸 — 어 가 노 라
이 — 러 한 — 길 — 밤 — 저 녁 의

그 늘진 그—대의— 꿈 —
8va
8va
mf
흔 들 리는 다 리위 무 지개 —길 —
mp
rit
pp
바— 람 조--차 가 을봄 걷 —히 는 꿈 —
8va
rit
pp
8va

南으로 窓을 내겠소

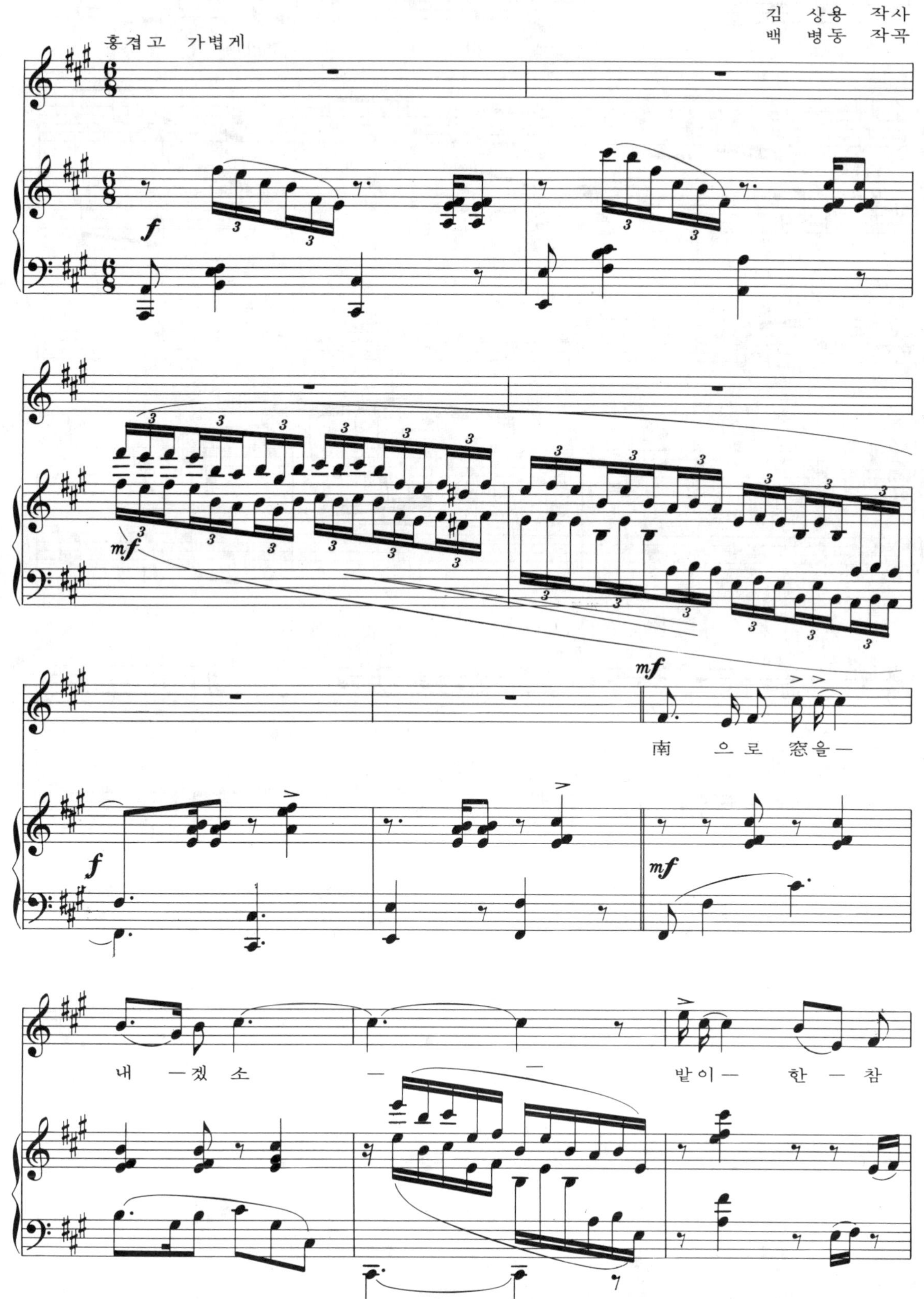
김 상용 작사
백 병동 작곡
흥겹고 가볍게
南 으로 窓을—
내 —겠 소 — —
밭이— 한 — 참

갈 이 — 팽 이로파 — 고 호미론 풀 — 을
매 — 지 요 —
mp
구름이 꼬 인 다 갈 리있 소
p
새 ——노 래 는 공 으로 들 으 랴 오 — ———

p
— — — 강 냉이가— — 익 — 걸 랑
p
3
3
함 께와주셔도 좋 소 — —
8va
3
pp
mf
왜사냐건 웃 — — 지 — — 요 — —
mf
3
8va

너를 위하여

김 남조 작사
허 방자 작곡

Andante (Espressivo)
mp
나 의밤기도는 길 고 한가지
말 만 되 풀이한다
가 만히 눈뜨는건
믿을수없을만치의 축 — 원
갓피 어 난 빛으로

mp
채워넘친환 한 내영혼의내 사랑 아 쓸 쓸히 검—
은머리 풀고누워 도 이때 까 지못 가져 본 —것 너
f
sonore
mf
그 리운사랑 아 너 위하여 나—살거니 소 중한 것
rit.
a tempo
모 두다 너 — 에—게 주 마

Moderato
mp
이 미준것 은 잊 어버리 고 못 다준ㅡ
mp
rit.
mf
사 랑만 기 억하리라 기억 하 리 라 나의
rit.
mf
ten.
a tempo
사 랑 아
ten.
a tempo
rit.

Andante (Espressivo)
눈 — 이내리 는 — 먼 — 하 늘 에 달무리보 듯
너 를본다 오직너 — 를 — 위하 여 너를 위 해 모든
것 에 이름있 — 고 기 뻐있 단 다 나의
사 랑 아 —
mf
rit.
pp

눈오는 밤에

김 억 작사
이 호섭 작곡

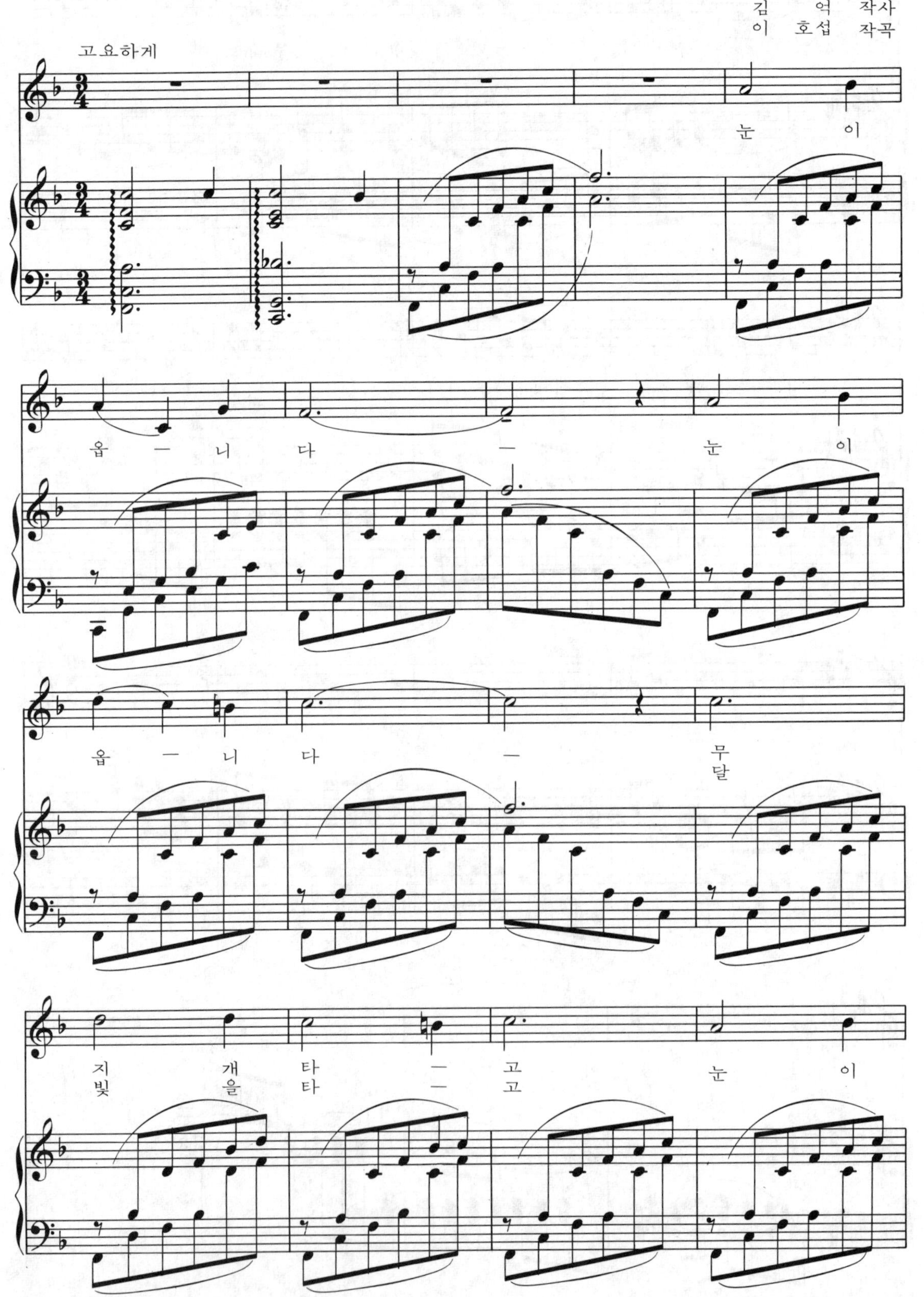
고요하게
눈 이
옵 — 니 다 — 눈 이
옵 — 니 다 — 무
달
지 개 타 — 고 눈 이
빛 을 타 — 고

옵 — 니 다 — 거 리 낌
소 리 도
없 이 산 에 마 을 에 눈 이 옵 니
없 이 잠 든 거 리 에
다 — 눈 이 옵 — 니 다
— 해 지 도 록 —
밤 새 도 록 —

내 마음을 아실 이

김 영랑 작시
박 중후 작곡

Andante
내 마 음을
아-실이 내 혼 자마-음을 날
같 이아실이 그래도 어-데--나
p

계 실 것 이 면 내 마 음 에
때 때 로 어 리 우 는 티 끌 과
속 임 없 — 는 눈 물 의 간
곡 한 방울 방울 푸 — 른 —

f
밤 고 — ——— 이 맺
f
cresc.
은 이슬과 같이 보람을
ff
보 밴 듯 감 추 었 다 내 어
ff
드 —리 지 —
pp

달 밤

윤 곤강 작시
윤 용하 작곡

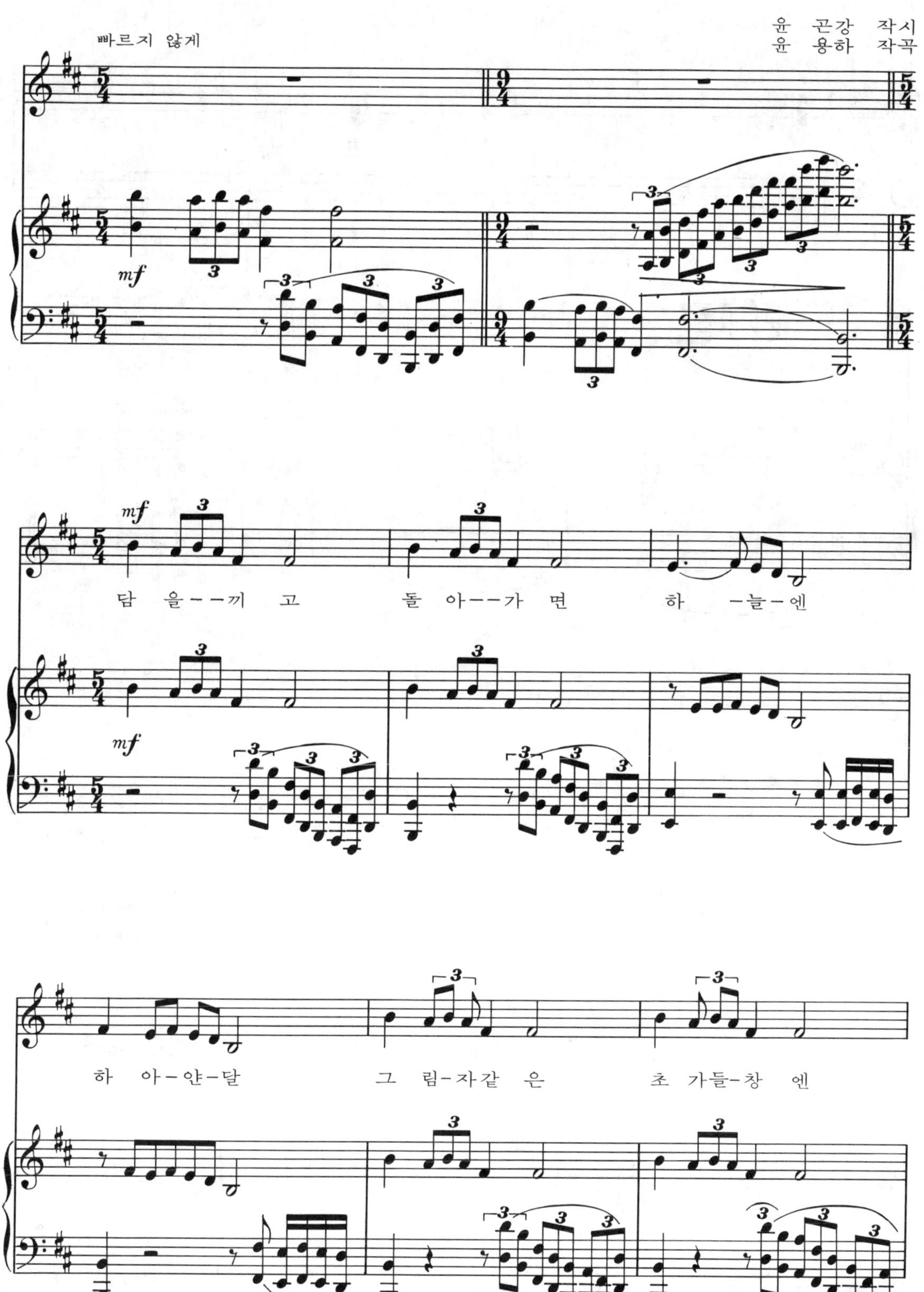
빠르지 않게
mf
담 을--끼 고 돌 아--가 면 하 -늘-엔
하 아-얀-달 그 림-자같 은 초 가들-창 엔

감 빛등불이 켜 지—고 밤 안개속
버 드나무수——풀 머 얼—리 빛나는 듬 — ———벙
어 ——디선 지 염 소우는소 리

또 물흘-러 가는-소-리 달 ---빛 은

나의두어깨위 에 물처-럼 여 울-져

f *rit.*

mf

달 빛-은 나의-두어깨위에 물 처-럼 여울져

mp

흘렀 ———— 다

9/4 4/4 5/4

p *pp* *rit.*

당 나 귀

조 병화 작사
나 운영 작곡

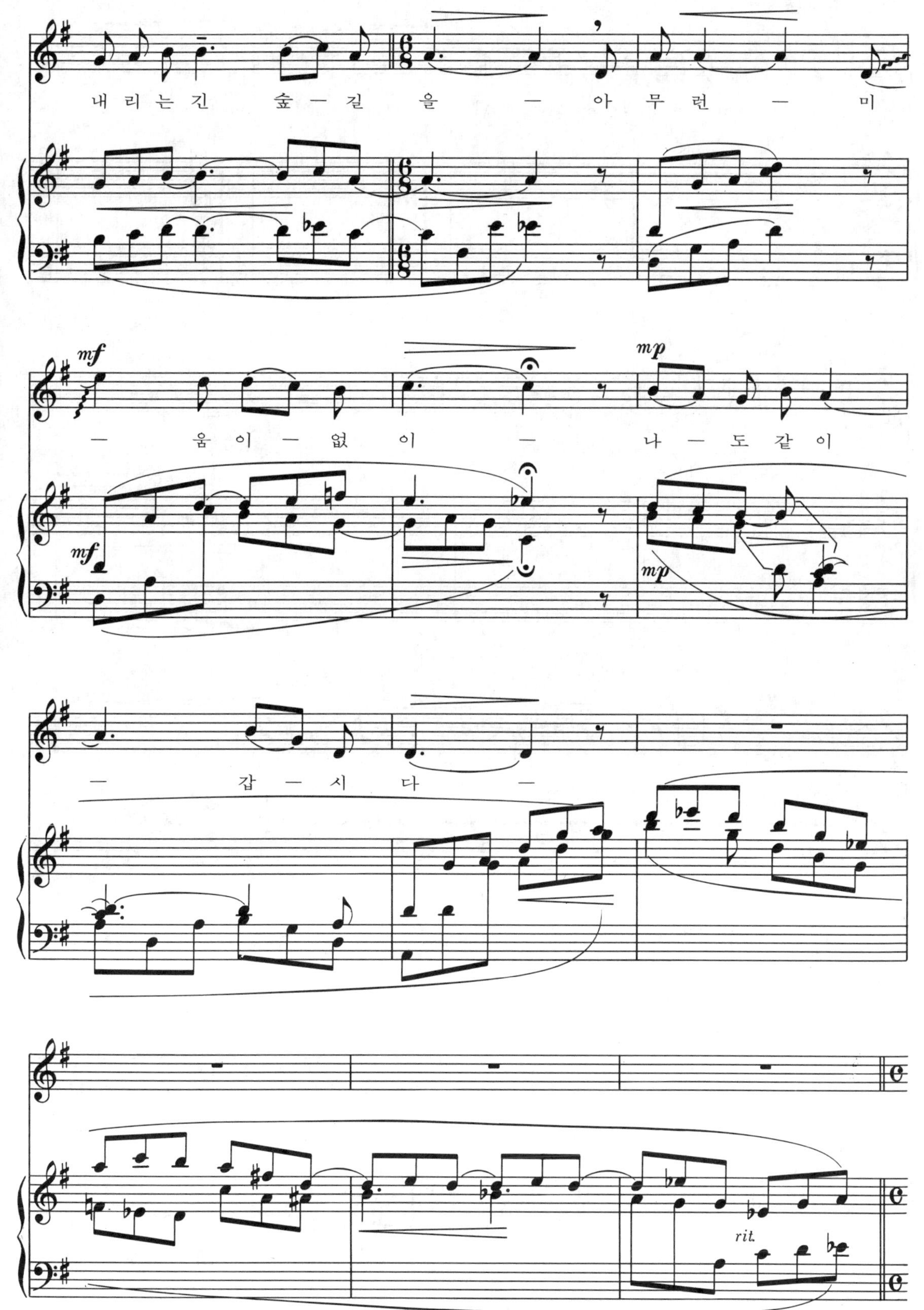
mf
mp
rit.
내 리 는 긴 숲 — 길 을 — 아 무 런 — 미
— 움 이 — 없 이 — 나 — 도 같 이
— 갑 — 시 다 —

M. M. ♩=60
어 쩌 다 가 멋 모 르 고 태 어 난 당 나 귀 나 한 마 리
M. M. ♩. =52
살 고 싶 은 죄 박 엔 없 읍 니 다 —
M. M. ♩ =58
이 렇 게 저 렇 게 살 고 있 는 죄 박 엔 없 읍 니 다
M. M. ♩. =42
외 로 움 이 죄 — 라 면 하 는 수 없 는

죄 인 이 올 — 시 다 — 낙 엽 이 솔 솔
rit.
pp
p
내 리 는 이 저 문 길 을 — 보 십 시 오 나 도 함 께
pp
mf
rit.
소 리 없 이 끼 어 — 갑 — 시 다
a tempo
molto rit.

도라지꽃

유 경환 작사
박 판길 작곡

rit. **f** *a tempo*

네 — — — — 꽃 입 술 에 — 물 든 하

네 — — — — 꽃 송 이 에 — 담 긴 하

rit. **f** *a tempo*

rit. **mp** *rit.* **1.p**

늘 — 산 바 람 이 — 비 켜 가 네

늘 — 산 그 늘 이 — 젖 어 있

mp *rit.* **p** **f** *a tempo*

2.p

D.C.

네

rit. **p** *D.C.*

또 한송이의 나의 모란

보통 속도로
김 용호 작사
조 두남 작곡
f
mp
mf
모 란 — 꽃 피 는 유 월이 — 오 — 면
또 한송이 의 꽃 나 — 의 — 모 — 란
추 — 억 은 아름다 — 와 밉 — 도 록 아름다 와

p mf f

해마—다 해마—다 유 월을안고피는 꽃

f p rit. a tempo

또 한송이의 또 한송이의 나 —의—모— 란

들 국 화

정 태민 작사
김 대현 작곡

1. 흰 구 – 름 이 – 떠 도 – 는 – 가 을 언 덕 – –
2. 실 바 – 람 이 – 불 어 오 는 – 가 을 언 덕 – –
에 – – 한 떨 – 기 – – 들 국 – 화 가 –
에 – – 말 없 – 이 – – 들 국 – 화 가 –
피 고 – 있 – 는 – 데 그 누 구 를
피 고 – 있 – 는 – 데 그 누 구 도

남 몰 — 래　　사 모 — 하　기　에
안 오 — 는　　외 로 — 움　속　에

오 늘 — 도 —　　가 련 하 게 —　　구 름　만 — 돈 —　다
오 늘 — 도 —　　가 슴 태 워 —　　기 다　려 — 본 —　다

들녘

구수하게

유 치환 작사
송 재철 작곡

여 름 의 들 녘 은
진실로좋을시 고 — 일 직 이 일 러 진 — 아—름다—운
비 유 가 적적히구름흐르는 — 땅—끝까—지
譬 喩 寂寂

이 루어져 —
이랑에넘 치 고 —
두렁에흐—르
고 —
골고루골고루
잎새는빛나고
골고루골고루
이삭은영글어
근 로 — 의 —
이 룩 —
과 —
기 름 진 축 — 복 — 에 — —

메 뚜 기 햇 빛 에 뛰 고 —

잠 자 리 바 람 에 날 고 — 아 ——— 아 —

풍 요 하 여 다 시 — 원 ——할 바— 없 도 다
豊 饒

마 을

조 지훈 작사
최 영섭 작곡

Andante cantabile con Pastorale

piu mosso
Brillante con accel
Piu mosso Brillante
닐 — — 니 — 리 — 닐 — — 니 — 리 —
호 들기부 — 던 소 치는아 히 가 — 잔 디 밭 — 에
(8va)
(8va)
a tempo
ten
누 — 워 하 늘 — 을 본 — 다 —

Tempo primo

p

산 념 어 — 로 흰 — 구 름 이 나 — 고 죽 는 것

ppp (*ppp*) (*ppp*)

mp *p* *p*

을 — 목 화 — 따 — 는 색 — — 시 는 잊 어 버 — 렸

다 — 잊 — 어 버 — 렸 다 —

8va *pp* 8

poco Adagio

ppp rit. (*con falsetto*) *morendo*

잊 — 어 버 — 렸 다 — —

8va *pp* *ppp* *8va*

Ped. *poco a poco rit.* *morendo*

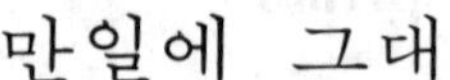

만일에 그대

김 안서 작사
이 상근 작곡

민요풍으로

p dim. mf cresc. f p f mf

만 일 에 그——대
날 믿 기 어렵—거 든
그 — 저 그——대 로 슬 쳐 나 버립—소 서
세 상 엔 말——이

f *dim.*

먼 한 때 있다—해 도

f

mf *cresc.*

오 가 는 생——각 자 최 야 알릴—건 가

f

ff *dim*

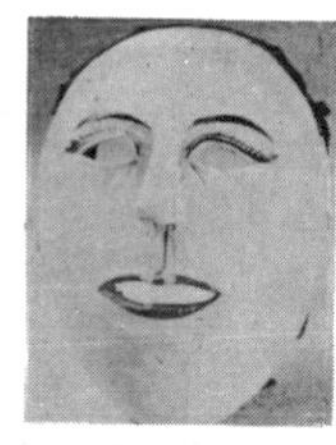

망 향
고 운산 작시
최 영섭 작곡
Moderato 그리움에 사무쳐서
mf
mp
rit.
저 산 — 넘 — 어
저 산 — 넘 — 어
흰 — — 구 름 아 래 내 고 향 있 을 듯 싶 어 영
흰 — — 구 름 아 래 내 고 향 있 을 듯 싶 어 영
f
— 영 기 다 려 지 — 친 — 몸 가 녀 린 숨 — 길 에 그
— 영 기 다 려 지 — 친 — 몸 이 제 는 잊 — 었 나 돌

대 의가슴깊이 안 기고—싶— 소 이— — 다 푸
아 올이—내— 몸 을잊—어— 버 렸— — 나 정
르 른풀밭에— 안 기어— 서 봄 을노래하—— 던 그
답 게뛰어놀던 그 때그리워 쳐 다본—하늘— 에 말
때 가그—리워 진 정내가슴이 아 프— — 오
없 이어두움이 짙 어지니눈물 만 흐르 — 네
rit.
rit.
rit.

매 화(梅花)

agitato
달 — 이 — 밝 다 구 부 러 진
감 — 아 — — 라 떠 — 도 는
agitato
poco accel.
가 지 하 나 영 — 창 에 비 치 나—니 —
맑 은 향 기 암 — 암 한 옛 양 자—라 —
poco accel.
mp a tempo
poco riten.
아 리 따 운 사 람 을 — 멀— 리——— 보 내
아 리 따 운 사 람 이 다— 시——— 오 는
L.H.
pp a tempo
poco riten.
고 — —
듯 — —
poco accel.

mp
보 내 고 — — 그 리 는 정
p
도 — — — 싫 지 않 — 다 —
하 — 여 — — 라 — — —
accel.
pp
— —
rit.
dim.
p
pp

목 련 화

조 영식 작시
김 동진 작곡

사 랑목련화— 야 그대내사 랑목련화—
야 희—고 순 결한그대모— 습 봄에—
온 가인과같 고 추운— 겨 울헤치고
온 봄길— 잡 이목련화— 는 새시대
mf
f

mp

의 선구자— 요 배달— 의 얼—이로

mp

다 오—내 사 랑목련화— 야 그대내

사 랑목련화— 야 오—내 사 랑목련화—

f

야 그대내 사 랑목련화— 야 그대처

럼 —순 결 하 고 그 대 처 럼 —강 인 하
cresc.
f
게 오 늘 도 내 일 도 영 원 히 나 아 름
cresc.
f
3
p
답 게 살 아 가 리 오 내 사 랑 목 련 화—
3
p
야 그 대 내 사 랑 목 련 화— 야 오 늘—

도 내일도영 원 히 나아름 답 게살아가리
라 —
f
f

mp
오 — 내 사 랑목련화 — 야 그대내
mp
사 랑목련화 — 야 내일을 바 라보 — 면 —
mf
서 하늘보고 웃음짓 — 고 함께피
mf
고 함께지 니 인 — 생 의 — 귀감이로

다 그 대 맑 고 향 긋 한 향 기 온 누 —
리 적 — 시 — 네 오 — 내 사 랑 목 련 화 —
야 그 대 내 사 랑 목 련 화 — 야 오 — 내

사 랑목련화ㅡ 야 그대내 사 랑목련화ㅡ
f
야 그대처 럼 ㅡ우아하 고 그대처
f
cresc.
럼 ㅡ향기롭 게 오늘도 내 일도영 원
cresc.
f
히 나값ㅡ 있 게살 아 가
3
f
3

p
리 오 내 사 랑 목 련 화 — 야 그 대 내
p
p
사 랑 목 련 화 — 야 오 늘 — 도 내 일 도 영 원
Allargando
f
히 나 — — 값 있 게 살 아 가 리 라 —
f

명 태

양 명문 작시
변 훈 작곡
Andante(Scheyoso)
rit.
검 푸른 바다 바다 밑에서 줄 지어
떼 지어 찬 물을 호흡 하고 길이 나 대구 리가
클 대로 컸을 때 내 사랑 하—는— 짝 들과

piu mosso (gaillardement)
노 상 꼬리 치 고 춤 추며— 밀 려다니다 가 — —
어 떤어진 어 부—의 그 물에걸리 어 살 기—좋 다는
元 山 구 경이나한 — — — 후 에 지 프트의 왕 처럼
a poco più lento
미 이 라 가 됐 을 때 어 떤 외롭고 가난한詩 — — 人—

이 밤 늦게 詩를 쓰다 가 —
pp
Parlato
쇠 주 를 마 실 때
appassionato
sf
그 의안주가
되 어 도 좋다 — —
그 의詩 가
되 어 도 좋다 — —
짝 짝 찢어지어

— 내 몸은 없 어 질 지라도 —
내 이 름 만 남 아 있 으 리 라 — —
— 명 태— 헛 명 태— —라 고
a tempo
헛 이 세 상 에 남 아 있 으리 라 —
8va
8va
sf
sf

무 곡
김 연준 작사
김 연준 작곡
Tempo di waltz
mf
mp
어 여쁜ㅡ 소녀들 색 동옷ㅡ 입 었네
꽃 과같이 예ㅡ쁜 그 ㅡ림을 그 리네
mf
돌 ㅡ다 가 멈 추고 뛰 ㅡ다 가 서 면은

오 ─색의 무 ─늬 눈 앞에 황 홀해

꽃 과같이 예 ─쁜 소 녀들이 뛰 ─네

오 ─색─ 무 늬의 그 ─림을 그리네

물 레

김 안서 작사
김 순애 작곡

시 — 름 에 돈 — 다 오 —
사 람의 한 세상 시 — — 름 에
돈 — 다 — 오 —

바 다

이 주홍 작사
유 신 작곡
Elegante ♪= 80
accel.
8va
8va
누
f
p
리 — 가 득 히 부 풀 어 오 르 는 — 물 결 위
p
에 매 양 뜨 거 운 눈 의 오 감 이
여 — 어 룽 도 춤 을 추 고

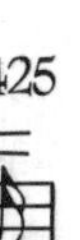

갈 매 기 — 마 저 — 소 리 가 볍 게

노 니 는 바 다 매 양 뜨 거 운 눈 을 들 어

거 룩 한 임 의 향 기 에 어 리 옵 나

ten. *a tempo*

니 — 하 늘 이 거 울 처 럼 맑 고

a tempo *ten.*

햇 볕 이 입 김 처 럼 따 스 할 제 소 록
소 록 잠 든 소 리 들 리 어 라 — 포
근 한 임 의 품 안 이 여 —
— —
pp
p
8va

바위고개

이 흥렬 작사
이 흥렬 작곡

Andante
p
바 위고 개 언—덕을 혼 자넘 자 니 — 옛 —님 이
그—리워 눈—물납 니 다 — 고— 개위 에 숨—어서
기 다리 던 님 — 그—리워 그—리워 눈 물납 니
poco rit.
poco rit.

Tempo I
다 — 바 위 고 개 피 — 인 꽃 진 달 래 꽃
Tempo I
은 — 우 리 임 이 즐 겨 즐 겨 꺾 — 어 주 던
꽃 — 임 — 은 가 고 없 — 어 도 잘 도 피 었
네 — 임 은 가 고 없 — 어 도 잘 도 피 었 네 —

바 위고 개
언—덕을 혼 자넘 자 니 — 옛 — 님 이 그—리워
하—도그 리 워 — 십—여년 간 머슴살이 하 도서 러
워 — 진달래꽃 안—고서 눈 물집 니 다 —

백 조

Andante espressivo
지 성찬 작시
이 병욱 작곡
mf
mp
눈같이고운나래
물속에비쳤는데
그ㅡ 대다문입이 한 번 다 ㅡ 시열어지 면 깊 을
사 임의순정 이 깃 들 은 듯하 여ㅡ 라

맑은것보는눈은 물— 과하 — 늘푸르른 데 항 시

기 다리는 누구위 한긴 목이 냐 파고 든 — 인생의낙

이 네목같 — 이되—과 저

저

D. S.

뱃 노 래

석　　호 작사
조 두남 작곡

가볍게 민요풍으로

mp
mf
mp
mf
mf
푸　른하늘에 물 새가춤춘다
맑　은달빛이 물 위에춤춘다

에 야 — 데 야 —
에 야 — 데 야 —
어 서 노 저어라 임 찾 아가자 두 둥 실배 띄워 청 춘 을싣 고서
어 서 노 저어라 고 향 에가자 순 풍 에돛 달고 파 도 를헤 치며
poco rit. a tempo
여 기 는황 포강 노 을 이붉 고 나— — — —
바 라 다보 며는 하 늘 도멀 고 나— — — —
poco rit. a tempo

에 야 — 데 야 — 어 서 노 저어라 임 찾 아가자
에 야 — 데 야 — 어 서 노 저어라 고 향 에가자
아 — 득한 창 파 만리 임 계신곳 어 디런가
아 — 득한 수 로 만리 고 향산천 어 디런가

보리밭 길

박 화목 작사
정 세문 작곡
Moderato
보리 불며 부르
1. 저파란보리 ―밭사잇길을 휘파람이가 ―걸어가면 누가날봄바 ―는소리있어
2. 그옛날 ―밭사잇길을 다정한 ―같이섰고 잔잔한 ―람불어와서
나의발길 을 ―멈추었네 돌아다보아야 ―아무도없는데 저문봄저녁놀만
사랑의말 을 ―속삭였네 그러나지금은 ―나혼자섰구나 어느먼절간종이
8va
빨갛게 ―타는데이처럼 내 가 ―그대그 리 워 ―저문봄 날 을 ―헤매이는가
외로이 ―우는데이토록 내 가 ―그대그 리 워 ―보리밭 길 을 ―헤매이는가

별

Moderato (서정적으로 곱게)
이 병기 작사
이 수인 작곡
바 람 이 서 늘 도 하 여
뜰 앞 에 나 — 섰 더 니
서 산 — 머 리 에 하 늘 은
구 름 을 벗 어 나 고
산 뜻 한 초 사 흘 달 이
별 함 께 나 — 오 더 라

달 은넘 어 가 고 별 만서로반짝 인 다

저별은뉘 별이 며 내별또어 느게 뇨

잠 자코 홀—로서서 별을헤어보 노— 라

봄이 오면

김 동환 작사
이 홍렬 작곡

고 이마음도 함께따가 주
봄이오면 하늘위
에 종달새우네 종ㅡ달 새 우는곳
에 내맘도울어 나물캐는 아가씨

molto rit.
a tempo
야 저 소리들 거 든 새 만 말 고 이 소 리
molto rit.
a tempo
도 함 께 들 어 주
나 ㅡ 는 야 봄 이 오 면 그 대 그 리

워 종ㅡ달 새 되ㅡ어 서 말붙인다
molto rit.
오 나는 야 봄이오면 그대ㅡ그리
a tempo
Adagio
워 진달래 꽃 되ㅡ어 서 웃어본다
Tempo I
오

부 재(不在)

김 춘수 작사
이 수인 작곡

슬 픈소 리로 울 — 었— 다
맨 드 라 미 나 팔 꽃 봉 숭 아 같 은
격정적으로
것 철 마 다 피 곤 소 리 없 이
져 — 버 렸 다
espress.

mp espress.
추
운 한겨울에 도 외 롭 게 햇—살
은 청 석 섬돌위에 서 낮 잠을
졸 다갔 다
rit.

rit. a tempo

mf

할 일 없 이 세 월 은 흘 러 만 가

a tempo

mf

a tempo

piu mosso

고 — 꿈결같은 사람들은

piu mosso

a tempo

f

살 다 죽 었 다 —

f

8va

봉 숭 아

김 형준 작사
홍 난파 작곡

北行길 五百里

박 남수 작사
박 태현 작곡

Andantino
mf
1. 불 — 탄 산 — 야 를 넘 어 건 너 서 — 고 향 은 북 — 행 길 五 百 里 인 데 —
2. 젊 — 은 꽃 — 나 이 끊 고 버 려 서 — 핏 물 로 열 — 렸 던 五 百 里 인 데 —

f
지 평 아 닌 지 평 을 누 가
국 경 아 닌 국 경 을 누 가
f
느 — 렸 나 — 원 수
쌓 — 았 나 — 원 수
의 쇠 사 슬 을 밀 고 넘 어
의 휴 전 선 을 밀 고 넘 어
서 — 대 동— 강 푸 른 물 굽 이— 치 는
서 —

곳 아 — 여 기 내 고

향 어 찌 잊 으 리 —

분 수(噴水)

김 춘수 작사
조 두남 작곡

왜——너 는 이——렇게 산 산히 부 서져서 흩 어져야
rit.
a tempo
mf 열정적으로
하 는—— 가 — 모 든 것 을
mf a tempo
바 치 고 도 왜 나 중
poco rit.
a tempo
mp
에 는 이 찢 어 지 는 아 — 픔 만 을
poco a poco rit.
a tempo
mp

mp
가—— 져 야 하—는가 네—가네 — 스—스로 에 보내는이 별
mp
poco rit.
ff
3
mp
에 — 이안타까운눈짓만 을 ——- —— 가져야하 는
sf
ff
poco rit.
mp
a tempo
가 —
a tempo
f
mp
mp
왜 ——너는 다른것이 되어서는

안 되는— 가 — 떨어져서 부 —서진 무수한네 —
f
가 — 왜 ——— 이런
f
mf
f
ff
poco rit.
3
선 —연한 무 지개로 다 시솟—아야 — 만 ———— 하 —는——
mf
f
ff
poco rit.
a tempo
가 —
a tempo
p pp

비 가

신 동춘 작사
김 연준 작곡
Andantino lamentoso
pp
pp
p
mp
p
p
mf
아 찬 란한 저
태 양이 숨— 져—버려어두운뒤에 불 타 는황 금
빛 노을 멀— 리—사라진 뒤 에 내 젊 —은 내

노 래는 찾— 을—길—없 는 데 들 에 는슬 피—

우 —는 벌— 레—소리뿐 이 어 라 별 같 이 빛 나

던 소 망 아 침 이 슬 되 — 었 도 다

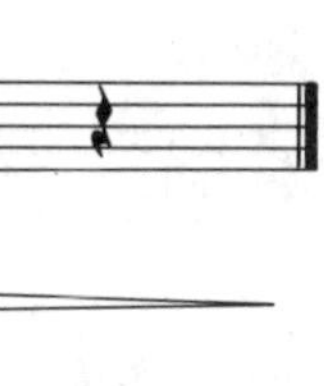

비 목(碑木)

한 명희 작사
장 일남 작곡

비 바 람 긴 세 월 로 이 름 모 를 이 름 모 를 비 — 목 이
홀 로 선 적 막 감 에 울 어 지 친 울 어 지 친 비 — 목 이
여
여 먼 — — 고 향 초 — 동 친 구 두 고
그 — — 옛 날 천 — 진 스 런 추 억
온 — 하 늘 가 그 리 워 마 디 마
은 — 애 달 퍼 서 러 움 — 알 알
디 이 끼 되 어 맺 — 혔 — 네
이 돌 이 되 어 쌓 — 였 — 네
R. H.
L. H.

사공의 노래

함 호영 작사
홍 난파 작곡
Andantino con moto
1.두 둥 실 두리둥 실 배 떠 나 간 — — 다 물
2.순 풍 에 돛달고 서 어 서 떠 나 — — 자 서
맑 은 봄바다 에 배 떠 나 간 다 이
산 에해지며 는 달 떠 온 단 다 두
배 — 는달맞 으 러 강 능 가 는 배 어
둥 — 실두리 둥 실 배 떠 나 가 네 물
기 야 디 — 여 — 라 차 노 를 — 저 어 라
맑 은 봄 — 바 — 다 에 배 떠 — 나 간 다
rit.

사 랑

조 병화 작사
김 형주 작곡

mf grazioso
항 시 깊은바다와 같 이 고 요 한
mf
p
나 의마음에 당신은끊 임없이
p
dolce
mp
brillante
f
불어오 는 고—— 요 한 바 람 잠들라 하 는
mp
f
con passione
ff
mp
깊 —은 내 마 음 고 요 한 침 대 위——
ff
mp

p
tr
에 당 신 은 어 지 러
decresc.
pp
히 불 어 옵 니 다
mp
f
당 — 신 은 멋 — 대 로 오 고 가 는
cresc.
pp dolce
나 의 손 님 당 — 신 이 지 — 나 간 자 — 리 는 보 이 지

Andante
tranquillo e espressivo
p
앓 아 도
깊 이
자욱진나의마
rit.
p
mf
ten.
음 당신은 고 적한 묵 은 내마음에 오월의
ppp
rit.
바 람 처 럼— 황 홀 한 —
mf a tempo
즐 거움과 새 로움을 주 십 니 다

piu mosso
ff
p dolce
cresc.
f
ff
p tranquillo dolciss.
meno mosso (Andante)
소 식 도 없 이 나 를 찾 아
p
p
sfp
주 시 는 반 가 운 손 님

소 식 도 없 이
나 를 떠 나 시 ㅡ 는 그 리 운
손 님
ff
marcato
piu animato
Allegro moderato
f
나 는 항 시 깊 은 바 다 와 같 은 내 마 음
cresc.
속 깊 이 고 요 한 자 리
p

에 가라앉 아
f
캄캄 한하ㅡ늘
cresc. con passione
바 람 없이 돌 아 ㅡ 오 는
p
바람같
cresc.
은 그 대 를 바 라 다 봅
ff
ㅡ 니 ㅡ 다
sff

사 랑 은

조 병화 작사
유 신 작곡

Andante dolce sosten.
사 랑 은 — 아 름 다 운 — 구 —
름 이 — 며 — 보 이 지 — 않 는 바 — 람
— — 사 람 이 사 는 곳 에

mp
서 돈— — 다 — 사 랑 은 —
소리나지 — 않 는 목 숨이며— 보 이 지—
않 는 오—열 — — 떨 어 져 있 는 곳에
mf agitato
서 돈_— 다 — 주어도 주 어 도—— 모 자 라 는
mf

마—음— — 받아도 받 아도—— 모 자 라 는 목 숨—
mp
— 사 랑 은 — 닿 지 않 는 — 구 — 름 이—
mf
며 — 머 물 지— 않 는 바—람 — — 차 지
rit. dim.
않 는 혼 자— 속 에 서 돈—— 다 — —
rit. dim.

사랑은 영원이어라

김 희경 작사
황 철익 작곡

Moderato con espressivo
mp
mf
mp
그 리 움 이 그 리 움 이 여 울 져 오 면
그 리 움 이 그 리 움 이 술 렁 이 면 은
그 리 움 이 그 리 움 이 아 롱 지 면 은
mf
수 정 처 럼 빛 — 나 는 사 랑 이 있 — 오
장 미 꽃 의 새 — 빨 간 사 랑 이 있 — 오
무 지 개 빛 영 — 롱 한 사 랑 이 있 — 오

아 — 침 이 슬 처 럼 반 짝 이 는 사 랑 있 오
까 — 만 산 딸 기 의 수 심 어 린 사 랑 있 오
새 — 날 아 침 햇 빛 희 망 어 린 사 랑 있 오
morendo
반 짝 이 는 사 — 랑 있 오
수 심 어 린 사 — 랑 있 오
희 망 어 린 사 — 랑 있 오
morendo
mf a tempo
창 공 에 날 개 펴 는
꽃 구 름 날 개 펴 는
태 양 빛 피 어 나 는
mf a tempo
사 — 랑 이 여 하 — 늘 을 날 으 라
사 — 랑 이 여 하 — 늘 을 날 으 라
사 — 랑 이 여 하 — 늘 을 날 으 라

하 — 늘 을 날 으 라 —
f
Largando
날 으 라 — — 하 늘 은 영 원 — 사 랑 은
Largando
f
영 원 영 원 이 — 어 — 라
ff
영 원 이 — 어 — 라 —
ff

산 길

양 주동 작사
박 태준 작곡

표정적으로
1. 산 길을 간 다 말—없 이 홀 로 산 길을
2. 고 요한 밤 어 두운수 풀 가 도 가 도험
간 — 다 해 는— 져 서 새—소 리 새 —
한 수 풀 고 요한 밤 어 둔—수 풀 가 도
소 리— 그 치 고 짐 승 의 발 자 취
가 도험 한 수 풀 별 — 안 보 이 는

그 윽 히 들 리 는 산 길 을 간다 말 없 이
어 — 두 운 수 풀 산 — 길 은— 험 하 다

밤 에 홀 로 산 길 을 홀 로 산 길을 간 다
산 — 길 은 험 하 다 산 — 길 은— 멀 다

유 경환 작사
박 판길 작곡

Lento melancoliamente

mp

rit.

dim.

pp

mp

먼 산 을 호젓이바라보 면 누군 가 부--르

mp

네 산넘 어 노을에젖 는 내눈 썹 에잊었던목소리 린

(조금 빠르게)

가 산 울 림 이외로이산 넘 고 행 여

나 또 들릴듯한 마 음 아 아 산

울 림 이 내마음 울 리 네 다 가 왔 던봉우리물러서

고 산 그 림 자슬며시지나가 네

산 수 도

신 석정 작사
임 종길 작곡

Moderato quasi Andante
mf
숲 길 짙 어 이 끼 푸 르 고 나 무 사 이 사 이 강 물 이 희
p
어 햇 볕 어 린 가 지 산 새 쉬 ㅡ 고 ㅡ 흰 구 름 한 가 히 하 늘 을 지
mp
난 다 산 가 마 귀 소 리 골 짝 에 잦 은 데 등 너 머 바 람 이 넘 어 닥 쳐

mf
와 굽어든 숲 길을돌아서돌 아 서 시냇물
mf
mp poco a poco accel e cresc.
여 운이옥인듯맑 아 라 푸른 산 푸른
mp poco a poco accel è cresc.
f
산이— 천년 만 가리 — 강물 이 흘러
f
rit.
a tempo
흘러— 만년 만 가리 —
rit.
a tempo

산들바람

정 인섭 작사
현 제명 작곡

Andante
1.산 — 들바람 이 산 — 들분 —
2.산 — 들바람 이 산 — 들분 —
다 달밝은가을밤에 달밝은가을밤에
다 달밝은가을밤에 달밝은가을밤에
산 들바람분—— 다 아 —— 너—도가 면
산 들바람분—— 다 아 —— 꽃—이지 면
이—마음어 이 해
이—마음어 이 해

산에 언덕에

신 동엽 작사
오 동일 작곡
Andantino calmando
mp
그리운그 의얼굴 다ㅡ시 찾ㅡ을수없 어 도 화사한
그 의ㅡ꽃 산에 언덕 에 피어날 지 어ㅡ이
그리운그 의노

래 다ー시 들ー을수없 어 도 맑ー은 그 숨ー결
들 에 숲 속 에 살 아 갈 지 어 ー 이
쓸 쓸 한 마 ー 음 으
로 들 길 더 듬 는 행 인 아 눈

길 비었 거 든 바 람 담 을지 네 바
poco a poco rit.
람 비었 거 — 든 인 정 담 을지 네
poco a poco rit.
a tempo
그리운그 의모 습 다 — 시 찾 — 을수없 어 도 울고간
a tempo
그 영 — 혼 들에 숲 속 에 피어날 지 어 — 이
rit.
rit.

산 위에

김 소월 작사
김 규환 작곡

M. M. ♩.=10
산위에 올 라서서 바라다보 면 — 가로막
흰 바다를마주건너 서 임계시 는 마을이내눈앞으
로 —꿈하늘 하 늘같이떠오릅니 다 흰모래

cresc.
모 래빛긴바닷가에 는 —한가한 뱃 노래가멀리잦으
cresc.
f
며 날저물고 안개는깊이덮어서 흩어지
mp
f
mp
는 물꽃뿐아득합니다 —
8va
mp
mf
이윽고 밤 어둠은물새가울 면 —물결조
mp
mf

cresc.
차 하나둘배 는떠나 서 저멀리 한 바다로아주바다
cresc.
f
로 —마치가 랑 잎같이떠나갑니 다 —
mp
rit.
rall.
p
mp a tempo
나는혼 자 산에서밤을새우 고 —아침해
붉 은별에몸을씻으 며 귀기울여 솔곳이엿듣노라

mf
면 —임 계 신 창 아 래 로 가 는 물 노 래 흔 들 어
cresc.
깨 우 치 는 물 노 래 에 는 —내 임 이 놀 라 일 어 찾 으 신 대
f
mp
도 내 몸 은 산 위 에 서 그 산 위 에 서 고 이 깊
이 잠 들 어 다 모 릅 니 다 — — —

산 유 화

김 소월 작사
김 성태 작곡

Moderato 민요풍으로 아름답게
산 에는 꽃이피 네 꽃-이피 -네 피
네 갈 -봄 여름없 -이 꽃 이피-- 네
산 에산에 - - -- --- 피 는 꽃 - 은
저 -만큼 혼 -자서 피 -어 있--

네 산에서 우 ㅡ는 작 은 새 ㅡ 야

꽃 이 좋 아 산 에 서 사 ㅡ 노 라 네 산 에 는

꽃 이 지 네 꽃 ㅡ 이 지 ㅡ 네 지 네 갈 ㅡ 봄 여 름 없 ㅡ 이

여 름 없 ㅡ 이 꽃 이 지 ㅡ ㅡ 네 꽃 이 지 ㅡ ㅡ 네

산 촌

느리지 않게 민요풍으로 춤추듯이
이 광석 작사
조 두남 작곡
mf
p
1.달 구 지 가 —는 소 리는 산 령 을 도 는 데 —
2.망 아 지 우 —는 소 리는 언 덕 을 넘 는 데 —
물 긷 는 아 가 씨—모 습 이 꽃 인 양 곱 구 나 —
흐 르 는 시 냇 물—사 이 로 구 름 은 말 없 네 —
사 립 문 떠 밀어 열 고 들 판 을 바 라보
농 주 는 알 맞게 익 어 풍 년 을 바 라보

면 — 눈 부 신 아 —침 햇 빛 에
고 — 땀 배 인 얼 —굴 마 — 다
p
f
오 곡 이 넘 치—네 — 야 아 — —
웃 음 이 넘 치—네 —
박 꽃 향 내 흐 르 는마 을 천 년 만 년 누 려 본 들
p
1.
2.
싫 다 손 뉘 하—랴 — 랴 —

성불사의 밤

이 은상 작사
홍 난파 작곡
Moderato
p
1. 성 불 사 깊 ㅡ 은
2. 댕 그 렁 울 ㅡ 릴
밤 에 그 윽 한 ㅡ 풍 경 소 리 주 승 은 잠 ㅡ 이
제 면 또 울 릴 까 맘 조 리 고 끊 일 젠 또 ㅡ 들
들 고 객 이 홀 로 듣 는 구 나 저 손 아 마 ㅡ 저 ㅡ
리 라 소 리 나 기 기 다 려 져 새 도 록 풍 경 소 리
잠 들 어 혼 자 울 게 하 여 라
더 리 고 잠 못 이 뤄 하 노 라

샘가에서

양 명문 작사
김 동진 작곡

Andantino
p
p
푸 른 산 솟 은 밑 에
솟 는 맑 은 샘 복 숭 아
꽃 이 파 리 샘 물 에 떨어지 니
3

즐겁게
그 옛 날 의 네 — 모 습 이
샘 물 위 에 그 — 려 진 다
감격적으로
아 지 나 간 그 옛 날 의
p
아 름 다 운 추 억 이 여
p

mf 힘있게
아 롱 진 가 지 가 지
mf
f
감 격 에 찬 그 때 일 이
p
f
p
내 가 슴 에 펴 ― 오 른 다 내 가 슴 에
f
p
사 ― 무 친 다

서 시(序 詩)

윤 동주 작시
김 진균 작곡

피 로 와 했 — — 다
Moderato
mf
별을노래 하 는 마 음으
mf
mp
로 모든— 죽어가는것 을 사랑—해 야 지
Allegretto
p
그 리 고 나 한 테 주 어 진 길 을

p
걸 어 가 야 겠 — 다 —
Moderato
mp
오 늘 — 밤 에 도
별 이 — 바 람 에
스 치 — 운 — 다
mf
pp
스 치 — 운 — 다

소 년

Con moto leggiero (♩= ca. 69) con teneramente
김 춘수 작시
이 상근 작곡
pp
희 — 맑 은
p
6
mp
희 — 맑 은 하 늘 이
었 다 — 소 년 은
pp

졸 고 있 었 다
mf poco a poco cresc. accel.
열 린 책 장 위 를
poco a poco cresc. accel.
mf
구 름 이 지 나 고
다 시 지 나 가 곤
f
f
하 였 다

mp a tempo
poco rit. e dim.
구 ㅡ 름 이 일 다 사 라
mp a tempo
poco rit. e dim.
지 고 다 시 일 곤 하 ㅡ 였 다
p
pp con teneramente
희 ㅡ 맑 은
a tempo
pp
mp
희 ㅡ 맑 은 하 늘 이 었 다

pp
ㅡ
소 녀 의
숨 소 리 가
pp
들 리
는
듯
하
ㅡ
였
smor.
다
ㅡ
8
smor.

애 나

정 진업 작사
김 봉천 작곡

애 나 — 내 맘 에 피 어 난 꽃 —
사 랑 하 는 애 나 — 애 나 —
언 제 나 잊 지 못 해 — 내 맘 의 호 수 되
어 — 그 림 자 비 춰 다 오 —

애 나 — 애 나 — 사 랑 의 수 선 화

여 — Hum— — — — — — — — — —

야 상(夜想)

박 화목 작시
김 세형 작곡

Andante
하 루 해 가다 지나 고 소 슬한 밤 다시 찾 아
오 —면 그리운 임 의생 각— 이 살 그머 니 고개 쳐 든다
임 의부 르는 노래 가 나 의 맘 을흔 드누

rit.
나 저기저 달 ―같 이 티 없 는 나의 사 랑전해주 시
rit.
a tempo
오 임 의부 르 는 노래
a tempo
rit.
a tempo
가 나 의 맘 을 흔 드누 나 저 기저
rit.
a tempo
달 ―같 이 티 없 는 나 의 사 랑전해주 시 오
L. H.
rit.
a tempo

언덕에 누워

김 영랑 작사
윤 양석 작곡

mf
cresc.
나 — 는 — 잊 었 읍 네 — 눈 물 도 는
8va
mf
cresc.
f
3
노 — 래 를 그 하 늘 아 — 슬 하 —
f
여 너 — 무 도 아 슬 하 —
p
여 —
p

cresc.
8va
f
mp
이 — 몸 이
서 러 운 줄 언 덕 이 야 아 시 련 만
p
pp
마 음 이 가-는 웃 음 한때라도 없 더 라 냐

— 아 —슬한 하 늘 아 래

mf

귀 여운— 맘 — 즐거운 맘 —

8va *sf*

ff

내 눈은 감—기 었 — 대

p

감 —

poco dim.

기 었 대 —

pp *morendo*

언덕에서

김 춘수 작사
이 상근 작곡

Tempo di Valse-con Affettuoso

con grazia
mf
이 상 한 말 — 을 — 하 고 사 람 들 은 이 — 언 — 덕 을
mf
dim
넘 — 어 갔 — 었 — 다 — 넘 어 갔 었 다
p dim.
pp
낯 설 은 새 들 이
8va
pp
p
f cresc.
울 — 음 울 면 은 은행 나 무 잎 사 귀 선 짜 디 짠 갯 내 가
p
f cresc.

코 를 찔 렀 다 — — — —
한 송 이 는
바 다 로 흐 르 고 — 한 송 이 는
바 다 로 흘 러 가 고

con grazia
mf
아 는 사 람 — 은 —
dim.
p
다 이 언 덕 — 을 — 넘 어 갔 는 — 데 —
p dim.
갔 는 — 데
mf
Appassionato
f
상 기 도 너 는 — — —
f

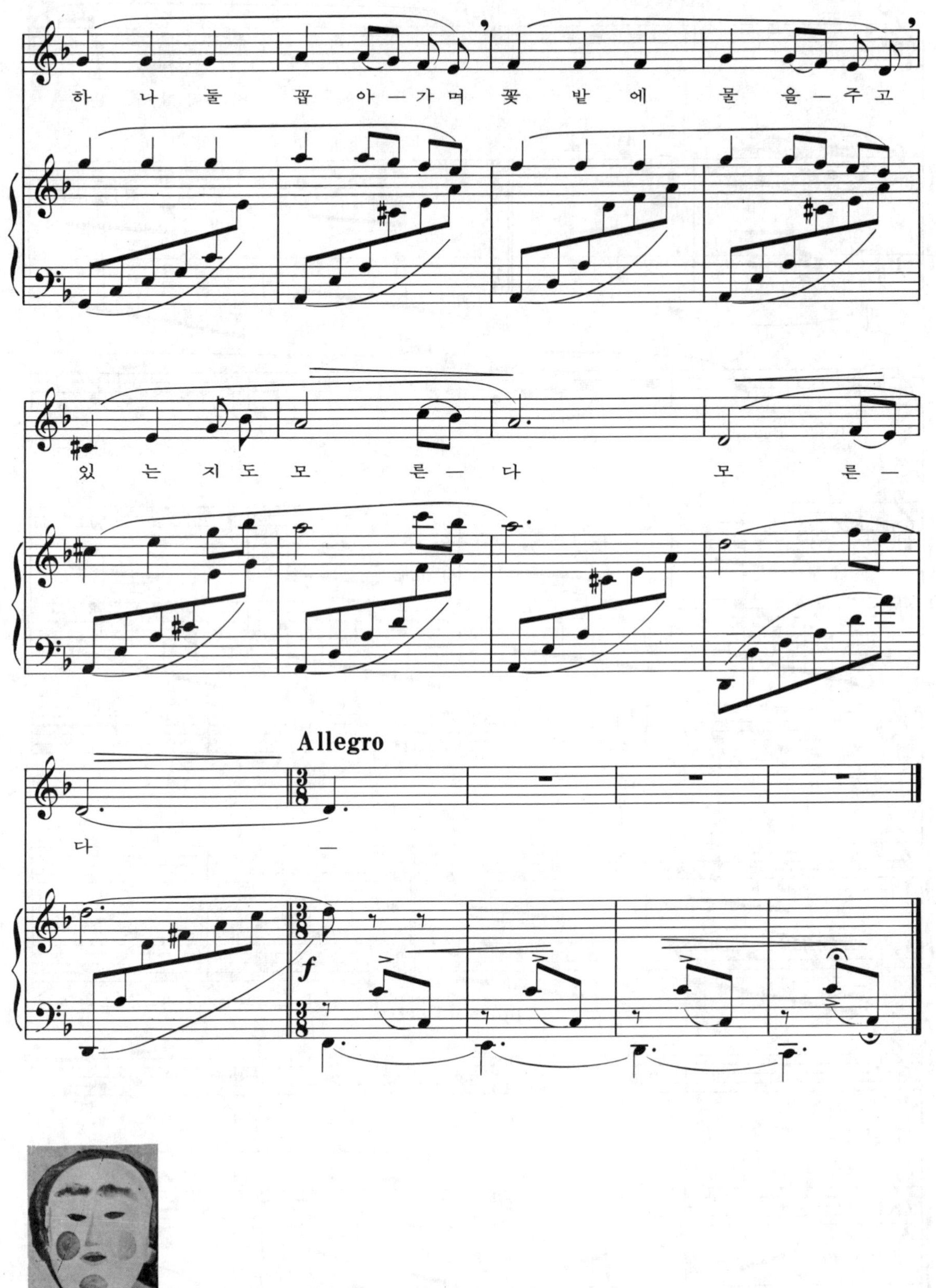
하 나 둘 꼽 아—가 며 꽃 밭 에 물 을—주 고
있 는 지 도 모 른— 다 모 른—
Allegro
다 —
f

여호와는 나의 목자시니

시 편 23편
나 운영 작곡

Andante
여호와는 나의 목— 자 시 니 내게 부족함이 없 으
리 — 로다 나로하여 금 푸 른초 장에
눕 — 게하 시 — 며 — — — — — — —

mp
잔 잔 한 물 가 로 잔 잔 한 물 가 로 인 — — 도
하 시 도 다
f
ff
진 실 로 — 선 함 과
인 — 자 하 심 이 인 — 자 하 심 이 나 의

사 — 는날 까지 나 를 따르리니
mf
내 — 가내 가 여호와전 에
영 — 원토 록 영원토록 영원토록 거 하
p
리 — 로다 아 멘 —
mf
mf

오 늘

박 정희 작사
한 성석 작곡

mf cresc.
f
mp
에 영원히 맴고여머물 고 가자 던 고향의 향긋한배추
poco rit.
p
a tempo
밭 이랑길 서로가 서로를예쁘 게 닮아 요 숨어서
엿보던수줍 은 전설 로
하얗게 말없는가슴 이 —있어

mp
poco rit.
p
mf
a tempo
f
요 타는듯 새빨간꽃잎 이 있어 요 꽃수레 념—어간산넘
mp
poco rit.
mf a tempo
f
mp
rit.
Fine
어 —고갯 길 뽀얗게 피어난오늘 을 위하 여
mf
mp
rit.
f
Fine
mp
D. S.
rit.
p
D. S.

5월이 오면

Allegro moderato e animato
황 금찬 작시
김 진균 작곡
언 제 부 터 창 — 앞 에 새 가 와 서
노 래 하 고 있 는 것 을 나 는 모 르 고 있 었 다
심 산 숲 내 를 풍 기 — 며 오 월 의 바 람 이

mp
—불어오 는 것 을 나 는 모르고 있었 다
mp
저 산 의 꽃 이 —바—람 에 —지—고 있 는 것 을
mp
나 는 모 르 고
꽃 잎 진 빈 가— 지 에
mp
f
사 랑 이 지 는 것—도
mp
나 는 모 르 고 있 었 다
f
mp

mp

오 늘 날고있는 제 비 가 작 년 의 그 놈

일 까 저 언 덕 에 작 은 무 덤 은 누 구 의 것 — 일 까

mp

5 — 월은 4 월 보 다

p

정 다 운 달

병풍에그 린 난 초 가 꽃 피 는 달
미 류 나 무 잎—
이 바 람에 흔 들 리 듯 — 그 렇
게 사 람 을 사 랑 하 고 싶 — 은

달 그 렇 게 사 람 을 사 랑 하
고 싶 은 달
5 — 월 이 다

올봄도 에이고 보면

오 동일 작곡

올 ― 봄 도
올 ― 봄 도
a tempo
이 ― 대 로 예 이 고 보 면 ―
이 ― 타 향 예 이 고 보 면 ―
rit.
어 느 때 고 ― 향 엘 돌 아 가
어 느 때 고 ― 향 엘 돌 아 가
리 ―
리 ―
poco a poco dim

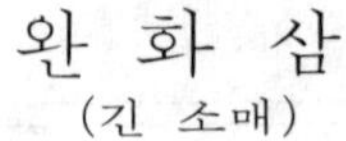

완 화 삼

(긴 소매)

조 지훈 작사
금 수현 작곡

보통 빠르기, 멋있게

차 운산 바 위위에 하 늘은 멀 어

산 새가 구 슬퍼 울 음운 —— 다

구 — 름 흘러가 는 물 — 길 은 칠 백리

빠르고 신나게
p
나 그 네 긴 소매 꽃잎에 젖—어 —
mf
술 익는 강 마을에 저 녁 노을이 여
f
이 밤 자면 저 마을에 꽃——은 지 리—라
p
다 정하고 한 많음도 병 인—양 하 여

달 빛아래 고 요히

흔 들——리 며 가 노—나

울 음

장 병준 작사
이 호섭 작곡

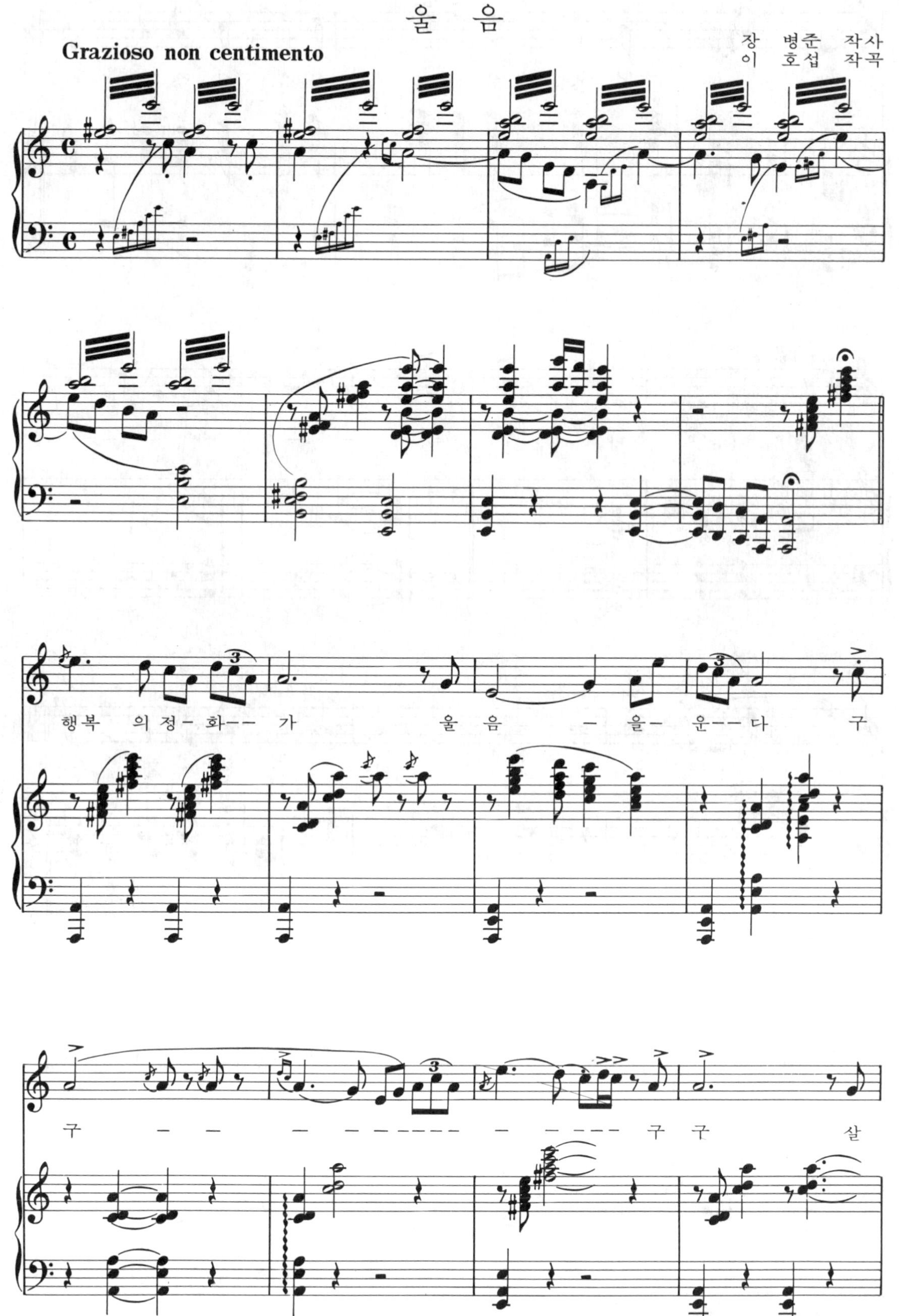
Grazioso non centimento
행복 의정－ 화－－ 가 울 음 － 을－ 운－－다 구
구 － － － －－－－－ － －－－－ 구 구 살

랑 살랑 지 향 한 꿈이 아 홉 번 굽 기 어
sotto voce
울음을 운 다 구 구
구 구 어 리 는 먹 물 을
솔바 람 에 뿌리 고 무 릎 을 부 비 며 울음을 운

accel. f

다 구 구 — — 우 — — — — — — — 구

accel.

a tempo mp

구 — — — — — — — — — 구 구 비

a tempo

f

둘 기 울 음

—

이 별

느리게
한 태근 작곡
말 — 은
가 지고 울 고 님은 잡 고 아 니 — 놓 네
dolce
mp
저 해 는 산 을넘 고 갈 길 은
아 득 — 한 데 저 님 아 가 는 나 를 잡 지 말 고
mf
f

mf
서 —
저 해 는
산 을넘고 갈 길 은 아 득 —한 데 저 님 아
f
가 는 나 를 잡 지 말 고 서 —
accel.
ff
지 는 해 를 잡 아 라 — —

임 두시고 가는 길에

김 영랑 작사
김 연준 작곡

어 느 ㅡ늬ㅡ 시ㅡ골 인가 이 슬같이 고 인눈물을
손 끝으로 깨치나니 임 두 시고가 는길의 애
끊 한마음 이 ㅡ여 한 숨 쉬 면꺼 질듯한 조
매 로운꿈 길 이여
rit
a tempo
mp
rit.

자 장 가

빠르지 않고 부드럽게
임 종복 작시
백 병동 작곡
p
mp
여 기 저 기 — — 꽃 만 발 — 한 화 원
바 다 멀 리 — — 물 새 들 — 은 날 아
동 — 산 에 향 그 러 운 — — 그 향 기 — —
가 — 는 데 출 렁 이 는 — — 저 물 결 — —
도 짙 — 어 만 — 가 네
도 잔 — 잔 하 — 구 나

이 꽃 속 — 에 묻 힌 열 — 굴 아 름 다 와 라 —
멀 리 멀 — 리 아 름 다 — 운 꿈 의 나 라 로 —

— — 아 름 다 — — 운 그 얼 굴 에
— — 잘 자 거 — — 라 예 쁜 아 기

— 미 — 소 짓 — 누 나
— 우 — 리 아 — 기 야

— —
— —

접 동 새

김 소월 작시
나 운영 작곡

M.M. ♩.=44

♩.=48
mp
mf
f
진 두 — 강 가 람 가에 살 — 던 누 — 나 는
진 두 강 앞 마을 에 와 서 웁 — 니 다 —
옛 날 — 우 리 나 라 먼 뒤 쪽 에

진 두 강 가 람 가 에 — 살 던 누 — 나 는
의 붓 어 미 시 샘 — 에 — — 죽 였 읍 — 니 —
다
누 나 라 고 — 불 러 보 랴 오 — — — —

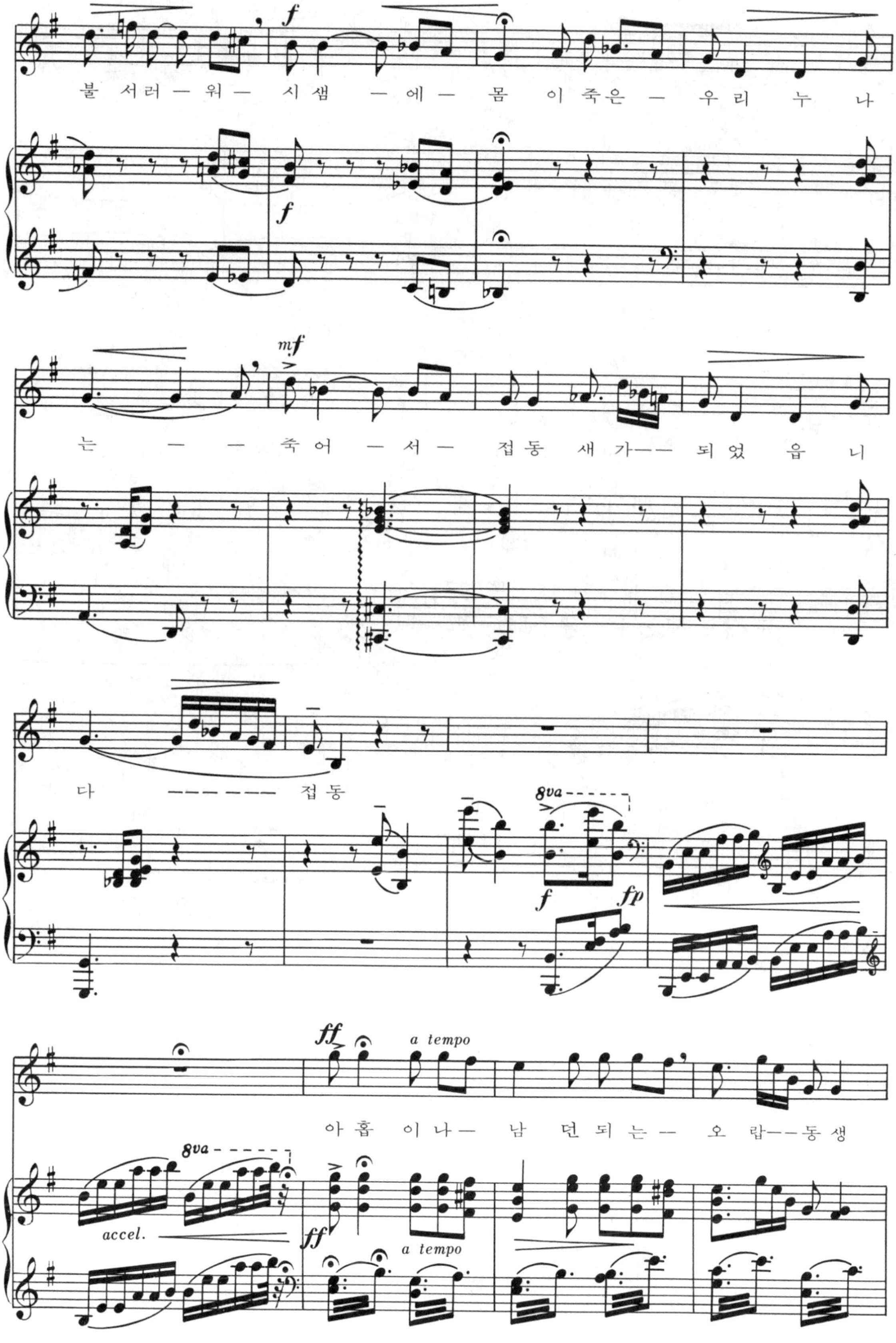

불 서러— 워— 시샘 — 에 — 몸 이 죽은 — 우리 누 나

는 — — 죽어 — 서— 접동 새 가—— 되었 읍 니

다 —————— 접동

8va

accel.

a tempo

아홉 이나— 남 던되는— 오 랍——동생

mf
을 — ——— 죽 어 서 도 못 — 잊 어 — 차 마 못 잊—
pp
mp
어 — 야 삼 경 남 다 자 는———밤 이 깊 — 으
rit.
ad. lib.
a tempo
molto rit.
면 — ———————— 이 산 저 산 옮 아가 며 슬 피 울 니
pp
ppp
다 — —

제 비

김 소월 작사
조 두남 작곡

느리고 슬프게

poco rit.
a tempo
떠 났 읍 니 다 — 잘 가 라 는 듯 이
살 살 부 는 새 벽 에
바 람 이 — 불 — 때 에 떠 났 읍 니
다 —
poco rit.
a tempo

8va
mp
어 미를 이별하고
mp
dim.
f
떠 난 고 향 의 — 하 늘을 —
dim.
f
p
mf
바 라 보던 제 비 이 지 요 — 길 가 에 서
p
mf

떠 도 는 몸 - 이 기 에 살 살 부 는 - 새 - 벽 에
바 람 이 - 부 는 데 도 떠 났 읍 니 다 -
rit.

진 달 래

피 천득 작사
김 순애 작곡

Andante
p
1. 겨 — 울 에 오 셨 다 가 — 그 겨 울
2. 겨 — 울 에 오 셨 다 가 — 그 겨 울
에 가 신 님 이 봄 — 이 면 그 리 워
에 가 신 님 이 봄 — 이 면 그 리 워
라 — 봄 이 오 면 그 리 워 라 눈 맞 고
라 — 봄 이 오 면 그 리 워 라 눈 맞 고

오르던산 에 는 진달래 가 피 었
오르던산 에 는 진달래 가 지 —

오 눈 맞 고 오 르 던 산 에
오 눈 맞 고 오 르 던 산 에

는 진달래 가 피 었 오
는 진달래 가 지 — 오

청산에 살리라

Moderato (간절한 마음으로)
김 연준 작사
김 연준 작곡
mp
rit.
나 는 수 — 풀 우 거 진 청 산 에 — 살 — — 리
라 나 의 마 — 음 푸 르 러 청 산
에 — 살 — — 리 라 이 봄 — — 도
pp
pp

f
—산—허리엔 초 록 빛물들었 네
f
8
rit.
세 상번뇌시름 잊 고 청—산 에 —서살리
p
rit.
mp
a tempo
라 길 고 긴—세월동 안 온 갖
a tempo
세 상변—하였 어 도 청 산 은—의구하

rit.

니 청 산 에—살— — 리 — 라

rit.

p *pp*

pp

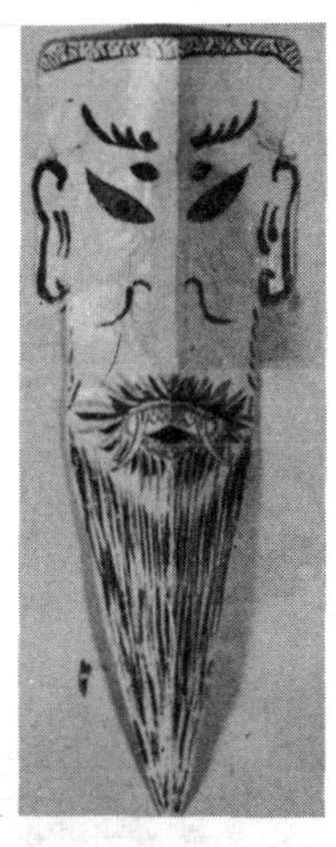

집 생 각

김 소월 작사
박 태준 작곡

Moderato 그리운 표정으로
산 에나 올라서서 바 다를보라 사 면에 백 열 리 창파중 에
객 선만 둥 둥 떠 나—간다
다소 흥겹게
명 산 대찰이 그 어느메냐 향 안 향 탑 대 그 릇에 석양이 산 머 리

넘 — 어 가 고 사 면에 백 열 리 물 — 소 리 다
젊 어 서 꽃 같은 오 — 늘 날 도 — 금 의 로 환 고 향
하 옵 소 서 — 객 선 만 둥 둥 — 떠 나 간 다 — 사 면에
백 열 리 나 어 찌 갈 가 —

후반에는 다소 哀調로
까 투 리 도 산 속 에 새 — 끼 치 고 — 타 — 관 만 리 에
와 있 노 라 고 — — — 산 중 만 바 라 보 며
목 메 인 다 — 눈 물 이 앞 을 가 리 운 다 고 —
— —

약간 씩씩하게

들에나 내려오면 치어다보라 햇님과 달님이 넘 나는고개 구름만 첩 첩

떠 돌아간다 구름만 첩 첩 떠돌아간다

초 혼(招魂)

김 소월 작시
하 대응 작곡

mp *f*

이 름 이 여 불 러 도 주 인 없 는 이 — 름 이 여

mp *f*

mf *p dolce*

부 르 다 가 내 가 죽 을 이 — 름 이 여 심 중 에 남 아 있 는

mp col canto legato

말 한 마 디 는 끝 끝 내 마 저 하 지 못 하였 구

f passione *cresc.*

나 사 랑 하 던 그 사 람 이 여 사

f *cresc.*

ff
랑 하던 그 사 람이 여
ff
mp
legato
mp
붉은해는 서산마루에
mp
걸—리 었 — 다 — 사—슴의 무—리도 슬—피운 —
mp
rall.
다 — 떨어져나—가 앉—은산위에 나 는그대의 이름을 부르노
mp
col canto

라 —
f a tempo
ff
parlando
mp
설 움에
겹 도록 부 르노 라 — 설 움에 겹 도록
mf
부 르노 라
mp
부르는소리는 비 —켜가지만 하늘과땅사이가

rall.
ff a tempo passione
너 무 넓—구 나 — 선 채 로 이 자리
rall.
ff a tempo
에 돌 이 되 어 도 부 르 다 가 내 가 죽 을 이 — 름 이
여
mp dolce
p
mp parlando
사랑하던그 사람이여 사랑하던그 사람이여
rit.
pp

추 억

흘
여 름 가 고
가 을 가 고 조 개 줍 는 해 — 녀 의
무 리 사 라 진 겨 울 이
바 다—에 —
rit.

잊 어버리－ 자 －－고 바 다기슭을 걸 어보 던
날 －－이 하 루 이 틀 －
사 －－－－－－ 훌 사－－－ 훌
사－－－ 훌 Hum.－－－－
rit.
(morendo)
morendo

편 지

윤 동주 작사
정 원상 작곡

dim.
가 득 히 왔 읍 니 다
dim.
mf
흰 봉 투에 눈 을 한 줌 넣 고
mf
f
글 씨 도 쓰 지 갈고 우 표 도 붙 이 지 말
f
고 말 쑥 하 게 그 대 로 그 대 로

accel. mf a tempo

편 지를부 칠 까 — 요 누—나계 신나—라엔

p f

누—나계 신나—라엔 눈 이 눈 이 아 니 온 다 — 기 —

mp p rit.

에 누 나 누 나

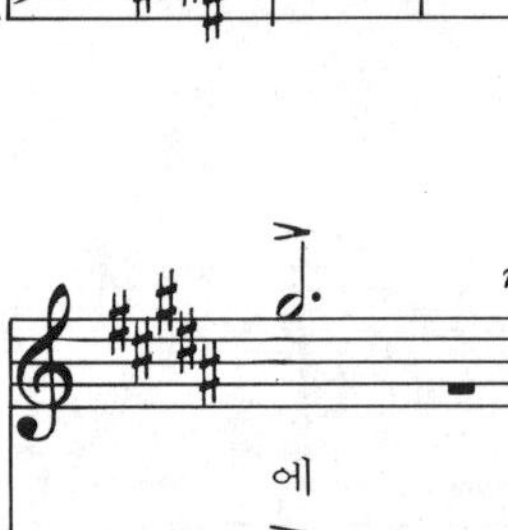

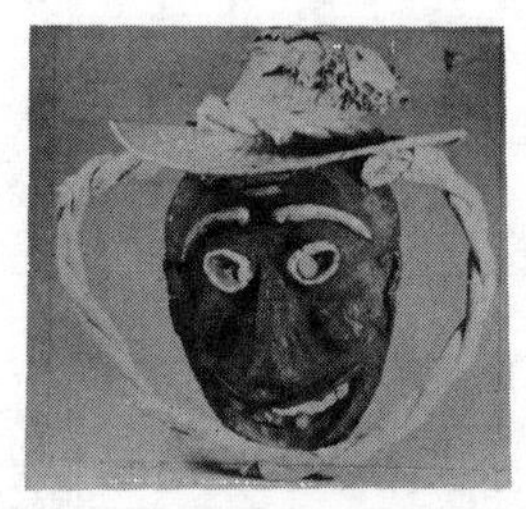

피 리

양 명문 작사
이 호섭 작곡

바 람지나갈 때 마—다 그 대 무 슨속 절 을속삭이시
노 이—꼬 — 장 미
mf
f p
poco cresc.
처 럼 서글픈 사람이여 웃 음 도 향 기 도 잃어버
린 채 그 대 그 어 느 꽃다웁 던 시 절 을 회 상 하 시 노 이

poco agitato cresc.

꼬 장 미 떨어진 서 리 찬 가 을 갈

잎 에 달 빛 지 ㅡ 는 밤 엔 그 대 귀 기 울 이 시 라 나

의 피 리 에 ㅡ

p

p

풀 따 기

김 소월 작사
김 원호 작곡
Moderato cantabile
우 — 리 집 뒷 — 산 에 풀 이 푸 르 고 —
그 — 리 운 우 리 님 은 어 디 계 신 고 —
숲 — 사 이 시 — 냇 물 모 래 바 닥 은 —
날 — 마 다 피 어 나 는 우 리 님 생 각 —
파 — 아 란 풀 그 림 자 떠 서 흘 러— 요 —
날 — 마 다 뒷 — 산 에 홀 로 앉 아— —
rit
1. a tempo
rit.
a tempo

2. *a tempo*

서 — 날—마 다 풀 을 따 서 물 에 던 — 져 요 —

2.

한국의 달

(추석달)

박 목월 작사
임 우상 작곡

대 님 을 두 —르 고 — 달 맞 이 를
Andante espressivo ♩ =76
mp
갔 다 — 아 — 탑 위 로
mp
보 름 달 중 천 에 오 를 수 록—
rit.
청 과 일 같 다 그 — 런 — 밤 — 에
rit.

mf a tempo
mp
옥 색 대—님을 두 르고 임 을 만 나러 갔 다
Allegretto
f
— 그 늘속에서 도 환 하게빛 나는
p
ff
mf a tempo
동정 — 청 과 일 같 —은밤이다 — — 정
결 하 고도 향 기로운 밤

옥 색 대 님 을 두 ㅡ르고 환 한동 정을
뵈 오러 갔 다 ㅡ ㅡ ㅡ ㅡ
pp
8va

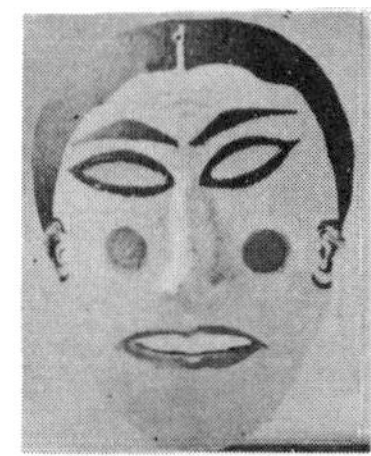

해변에서 부르는 파도의 노래

한 하운 작사
조 념 작곡

갈 매기-와 더 불어 늙지않는 나 의-청-춘 말 못 할
cresc.
가 슴속 신 음같 은 파도 소리 한 시라도
cresc.
poco rit.
쉴 새 없 이 쳐 밀고쳐가 는 해 식 사
poco rit.
Allegro
바 다 의
8va
a tempo

꿈 — 은 대 기 만 성 인 가 영 겁 을 두 — 고
ff
신 념 의 투 쟁 인 — —
dolce
cresc.
바 — 다 는 완—성 한—다 욕 — 망 —이
dim.
cresc.
침 묵 하——는 그 — 속 에 — — 서
sf

황 — 혼 — 이
깃 — 들 — 어 저 녁 노 을 의 빛 — — —
변 — 화 가 파 도 에 번 질 거 —
린 — 다 —

헬몬의 이슬이 내림 같아라

시 편 헤 : 133
최 민순 역사
황 철익 작곡

mf
향 기 짙 은 기 름 이 라
mf
mf
mp rit.
머 리 위 에 수 염 까 지 아 하 론 의 수 염 까 지
mf
rit.
mp
lib.
a tempo
옷 깃 까 지 내 려 서 흐 — 름 같 아 라 —
lib.
mf a tempo
3
f

Allegretto
시온의 — 산들의
Allegretto
rit.
a tempo
— 등 섬 이 마 — 다 헬 몬 의 —
8va
rit.
a tempo
rit.
molto accel.
이 슬 이 — — 내 림 같 아 — 라
8va
rit.
molto accel (morcoto)
molto rit.
meno mosso
저 곳 에 서 주 님 이 —
8va
8va
molto rit.
meno mosso

Dolente
복 을 내려 주시는 — 무궁한 생명이 — 아 닐 손
가 무 궁 한 생 명 이 —
mp
f
ad lib.
Allegro
ff
아 — 닐 손 가 —
— —
8va
sff

황혼의 노래

김 노현 작시
김 노현 작곡
그리움을 갖고
mf
mp
1. 아 지 랭 이 하 늘 거 리 고 진 달 래 가 반 기
은 시 내 봄 꿈 을 안 고 어 린 싹 은 눈 을
는 언 덕 깨 어 진 꿈 추 억 을 안 고 오 늘 나 는 찾 았
비 빌 때 그 옛 날 에 아 른 한 모 습 내 맘 에 새 겨 진

3 절간주
조금 빠르게
Fine
네
다
내 사 랑 아 그 리 운 너 종 달
노래
새 에노래싣고 서 그 대 여 황혼의 노 래 나는너
ㅡ 를잊지못하리 ㅡ 마 음 깊 이
ㅡ 새겨진사 랑 이 아 롱 지 네 2. 맑

훈　풍(薰風)

최 귀옥 작사
박 찬석 작곡

poco Allegro
훈 -훈히 웃음띠어 내 가 슴에 불어오네 — — —
가 -만히 웃음지어 내 가 슴에 안겨오네 — — —
poco Allegro
아 — 아 — 차 거 —
쓸 쓸 —
운 바 람— 은 가 고 없 네—
한 낙 엽— 은 지 고 없 네—

mf
바 람 - 이 부 네
꽃 잎 - 이 지 네
mf
8va
mp
향 기 로 운 바 람
사 랑 스 런 넋 이
f poco Allegro
가 신 님 의 -
가 신 님 의 -
mp
8va
3
poco Allegro
가 슴 에 도
가 슴 에 도
12/8
내 - 가 슴 에 - - 도
내 - 가 슴 에 - - 도
4/4
a tempo
p
훈 - 훈 - 히 - 부 - 네 -
가 - 만 - 히 - 지 - 네 -
pp
ppp
pp

희망의 나라로

현 제명 작사
현 제명 작곡
쾌활하게
1.배 를 저 어 가 자 험 한 바 다 물 결 건 너 저 편 언 덕
2.밤 은 지 나 가 고 환 한 새 벽 온 다 종 을 크 게 울 려
에
라
산 천 경 개 좋 고 바 람 시 원 한 곳
멀 리 보 이 나 니 푸 른 들 이 로 다
희 ㅡ 망 의 나 라 로 돛 을 달 ㅡ ㅡ 아 라
희 ㅡ 망 의 나 라 로

rit.
부 는 바 람 맞 아 물 결 넘 어 앞 에 나 가 자 —
rit.
a tempo
1.
자 유 평 등 평 화 행 복 가 득 찬 곳 희 — 망 의 나 라
a tempo
2.
로 희 — 망 의 나 라 로

작곡가별 곡목 찾아보기

개정판 한국 가곡 200곡선 (하)

편 집 국 편

●**발 행 인**: 박 세 원

●발 행 처: **세광음악출판사**
서울특별시 용산구 서계동 232-32
우편번호 140-140
☎714-0046(대) FAX:719-2656

●등록번호: 제 3-108호(1953. 2. 12)

●공 급 처: 주식회사 **세광유통**
☎719-2651(대) FAX:719-2191

ISBN 89-03-52202-8 93670

Printed in Korea

韓国의 聲楽家

소프라노
김 복 희

소프라노
김 옥 자

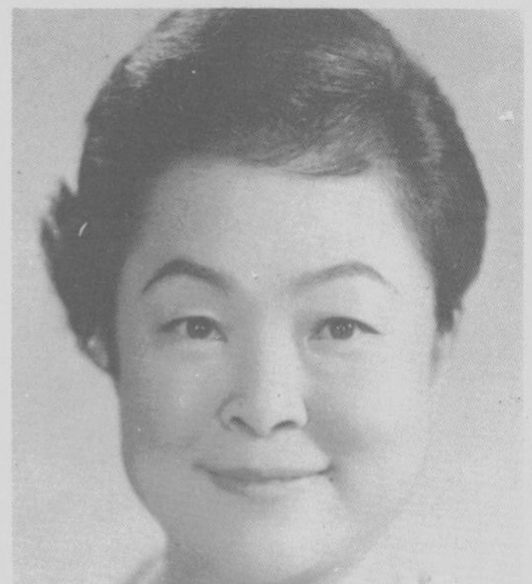
소프라노
김 자 경

소프라노
김 재 희

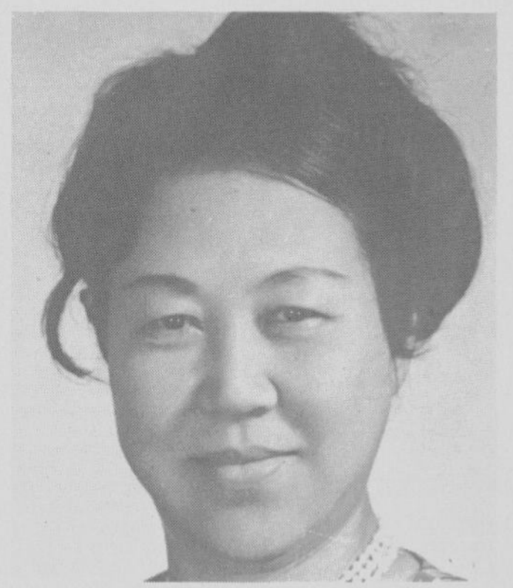
소프라노
김 천 애

소프라노
김 혜 경

소프라노
손 윤 열

소프라노
유 태 열

소프라노
이 경 숙

소프라노
김 봉 임

소프라노
이 규 도

소프라노
정 경 순

韓国

소프라노
채 선 엽

소프라노
황 영 금

알 토
김 혜 란

알 토
윤 을 병

알 토
이 영 애

테 너
김 금 환

테 너
김 호 성

테 너
김 화 용

테 너
김 상 두

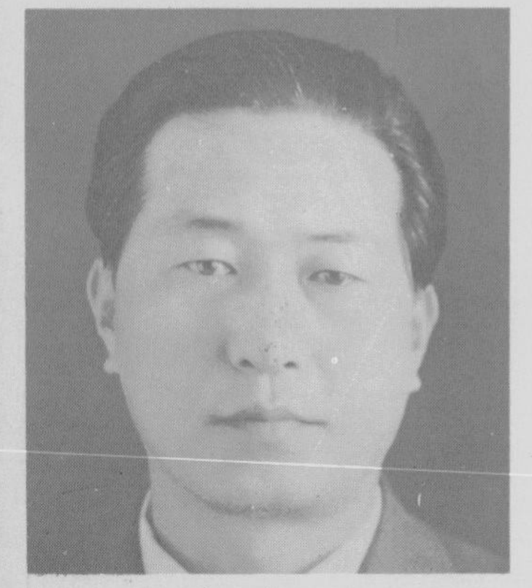
테 너
이 상 춘

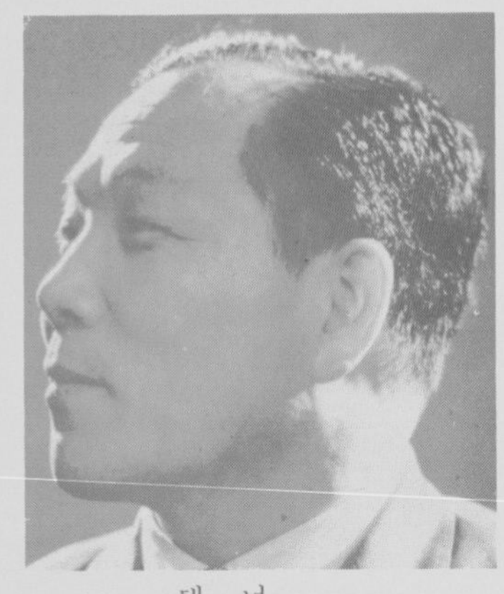
테 너
이 동 범

테 너
노 주 채

楽家

바리톤
김 대 근

바리톤
김 부 열

바리톤
박 수 길

바리톤
변 성 엽

바리톤
조 상 현

바리톤
황 병 덕

베이스
이 인 영

베이스
진 용 섭

앞줄 左로부터 이정희(Alto), 박노경(Sop), 이성균(Piano)
뒷줄 左로부터 안형일(Tenor), 오현명(Bass)